Couverture

- Maquette:
GAÉTAN FORCILLO
- Photo:
BERNARD PETIT

Maquette intérieure

- Conception graphique:
GAÉTAN FORCILLO
- Illustrations:
ANDRÉ LALIBERTÉ

Équipe de révision

Jean Bernier, Danielle Champagne, Michelle Corbeil, Louis Forest, Monique Herbeuval, Hervé Juste, Jean-Pierre Leroux, Odette Lord, Paule Noyart, Normand Paiement, Jacqueline Vandycke

DISTRIBUTEURS EXCLUSIFS:

- Pour le Canada:
AGENCE DE DISTRIBUTION POPULAIRE INC.*
955, rue Amherst, Montréal H2L 3K4 (tél.: 514-523-1182)
* Filiale de Sogides Ltée

- Pour la France et l'Afrique:
INTER FORUM
13, rue de la Glacière, 75013 Paris (tél.: (1) 43-37-11-80)

- Pour la Belgique, le Portugal et les pays de l'Est:
S. A. VANDER
Avenue des Volontaires, 321, 1150 Bruxelles
(tél.: (32-2) 762.98.04)

- Pour la Suisse:
TRANSAT S.A.
Route des Jeunes, 19, C.P. 125, 1211 Genève 26
(tél.: (22) 42.77.40)

Angela Clubb

les muffins

traduit de l'anglais
par
Brigitte Amat

Les Éditions de l'Homme*

CANADA: 955, rue Amherst, Montréal H2L 3K4

*Division de Sogides Ltée

Ce livre a été publié en anglais sous le titre:
Mad about Muffins,
chez Clarke,Irwin and Company Ltd.
(ISBN: 0-7720-1420-5)

Bibliothèque nationale du Québec
Dépôt légal — 4e trimestre 1984

ISBN 2-7619-0345-5

Introduction

Je dédie ce livre à tous les amateurs de muffins. Depuis longtemps déjà, en Amérique du Nord, on apprécie le muffin. Autrefois, on l'appelait *little muff*[1] ou *gem*[2]. Bien qu'il porte le même nom, il ne ressemble guère au muffin anglais, plat et cuit sur une plaque de fonte. Il y a plusieurs années, tous les Anglais connaissaient le marchand de muffins, grâce à une chanson pour enfants et aussi à cause de la clochette du marchand qui tintinnabulait lorsqu'il allait par les rues en vendant sa marchandise. Aujourd'hui, il ne reste plus qu'un seul marchand de muffins, c'est le fournisseur du Palais de Buckingham.

Heureusement, la version nord-américaine, elle, est prospère. C'est une sorte de petit gâteau cuit au four qui jouit d'une popularité croissante car c'est le plat idéal pour les personnes en quête d'aliments nutritifs et faciles à préparer. Fini l'humble et unique petit muffin au son. On trouve partout du sarrasin, du germe de blé, des noix, des fruits secs et du yogourt, autant d'ingrédients nourrissants qui servent à confectionner une variété de muffins sucrés ou salés. Servez-les à la place du pain habituel et encouragez vos enfants à les savourer en guise de casse-croûte. Je me suis beaucoup amusée à inventer et à préparer toute sorte de muffins. J'espère que ce livre vous donnera envie d'essayer vous aussi, et que vous découvrirez de nouvelles recettes appétissantes.

J'ai enfourné plus de 4000 muffins — les résultats étaient souvent imprévisibles — et pourtant je continue à les aimer.

---

[1] *Little muff*: c'est-à-dire «petit manchon» parce qu'il tenait chaud aux mains.
[2] *gem*: merveille.

Je remercie ma famille et mes amis qui m'ont aidée en goûtant la plupart d'entre eux de bonne grâce.

Je remercie aussi Susan Walker pour ses idées et ses encouragements.

Remarque à propos des mesures:

Toutes les mesures du livre sont données à la fois en mesures métriques et en mesures anglaises. Les mesures métriques ne correspondent pas exactement aux mesures anglaises car elles ont été arrondies aux unités métriques courantes. Les proportions restent cependant les mêmes.

Procédons étape par étape

Le temps de préparation des muffins varie de 10 à 20 minutes et le temps de cuisson de 20 à 25 minutes lorsqu'on respecte les étapes suivantes:

1. *Préchauffer le four.* La plupart des muffins sont meilleurs cuits à 200°C (400°F). S'assurer que la grille est placée bien au milieu du four.

2. *Préparer les moules à muffins.* Graisser des moules en aluminium ou les garnir de moules à gâteaux en papier. Les moules en téflon n'ont pas besoin d'être graissés.

3. *Réunir les ingrédients.* Placer tous les ingrédients sur le comptoir de cuisine ou sur la table.

4. *Mélanger, hacher, râper, etc., à l'avance.* Bien hacher et râper tous les ingrédients à l'avance. Utiliser le robot pour réduire en purée, pour râper les fruits et les légumes, pour écraser les bananes, pour hacher les fruits secs et les fines herbes, etc. Un malaxeur peut aussi servir à préparer les ingrédients.

5. *Réunir les ustensiles nécessaires.* Placer sur la surface de travail:
   • un grand bol d'environ 25 cm (10 po) de diamètre;
   • un bol plus petit d'environ 20 cm (8 po) de diamètre;
   • un jeu de tasses à mesurer — pour plus d'exactitude, ne pas se servir d'une tasse de 250 mL (1 tasse) pour mesurer 50 mL (1/4 tasse);
   • un jeu de cuillers à mesurer;
   • un fouet métallique ou une fourchette;
   • une fourchette;
   • une grande cuiller.

6. *Mesurer les ingrédients humides.* Mettre ensemble dans le bol les oeufs, le sucre, l'huile et le liquide indiqué, bien mélanger avec le fouet ou la fourchette. Il n'est pas nécessaire de battre ce mélange mais si on double les

proportions, on doit battre brièvement avec un mélangeur manuel ou électrique, à basse vitesse. Faire de même dans le cas d'un mélange à base d'oeufs, d'huile, de mélasse et de miel ou pour préparer du beurre d'arachide. Ajouter les fruits ou les légumes frais (par exemple, des carottes ou des courgettes râpées) ou les fruits secs (par exemple, des abricots ou des dattes) aux ingrédients humides et les mettre de côté pendant qu'on mélange les ingrédients secs. Cela laisse le temps aux produits frais de rendre leur jus, aux fruits secs de se ramollir, aux raisins secs de gonfler et au germe de blé ou à la semoule de maïs d'absorber le liquide.

Ajouter les noix en morceaux aux ingrédients humides au dernier moment, une fois qu'on a mesuré les ingrédients secs, pour éviter qu'elles ne ramollissent.

7. *Mesurer les ingrédients secs.* Verser doucement la farine non tamisée dans une tasse à mesurer et aplanir avec la spatule. Ne pas secouer le récipient, cela tasserait la farine et on devrait en augmenter la quantité. On obtiendrait alors des muffins lourds et secs. Ajouter la levure et les épices et remuer pour bien mélanger.

8. *Mélanger les ingrédients secs et les ingrédients humides.* Ajouter tous les ingrédients secs d'un seul coup aux ingrédients humides et remuer doucement jusqu'à ce que la farine soit tout juste incorporée. La consistance de la pâte variera selon la recette mais sa structure sera toujours grumeleuse.

9. *À l'aide de la cuiller, mettre la pâte dans les moules à muffins.* Cela se fait très rapidement car le dessus des muffins n'a pas besoin d'être parfaitement arrondi ni uniforme. Avant de mettre au four, parsemer les muffins de morceaux de noix ou de fruits secs pour décorer.

10. *Mettre au four.* Placer les moules au centre de la grille de votre four. Ne pas les superposer, la chaleur circulera mieux. À l'aide d'un cure-dent ou d'une broche, s'assu-

rer que les muffins sont bien cuits (le cure-dent doit ressortir sec et propre).

11. *Attendre 10 minutes avant de démouler les muffins.* Les laisser ensuite refroidir un peu sur une grille métallique avant de servir. Certains muffins (par exemple, les muffins *aux pommes et au cheddar* et les muffins *aux patates douces*) sont plus parfumés quand ils sont servis froids. D'autres, par contre, (par exemple, les muffins *aux tomates* ou les muffins *aux oignons et au persil*) sont meilleurs très chauds.

UN DERNIER MOT...

Quand la pâte est correctement mélangée

- elle est grumeleuse dans le bol et se détache de la cuiller en morceaux;
- le muffin, une fois cuit, présente une texture régulière, sans trous ni tunnels;
- le muffin est moelleux.

Quand la pâte est trop mélangée

- le gluten n'adhère plus à la farine; la pâte devient molle et caoutchouteuse;
- le muffin présente une texture irrégulière avec des trous et des tunnels;
- le muffin est dur et sec.

Quelques conseils

- Se procurer des moules à muffins solides et bien conçus, sans joints, à angles rabattus et arrondis.
- Les moules à muffins brillants réfléchissent la chaleur tandis que les moules mats ou sombres l'absorbent. Avec des moules mats, on obtient une surface plus foncée et il vaut mieux baisser la température de 12°C (10°F).
- La taille des muffins dépend de leur diamètre le plus large:
  petit muffin: environ 5 cm (2 po);
  muffin moyen: environ 7 cm (2 3/4 po);
  gros muffin: environ 9 cm (3 1/2 po).
- Quand on double les proportions, réduire la quantité de certains ingrédients comme le sel, la cannelle, le gingembre, les clous de girofle ou la muscade. Si la recette indique 5 mL (1 c. à thé) de condiment, quand on double les proportions, n'en mettre que 7 mL (1 1/2 c. à thé).
- Si on utilise du lait en poudre non instantané au lieu de lait frais, on doit verser le lait en poudre dans le mélange sec et la quantité d'eau nécessaire correspondante dans le mélange humide. Ainsi le lait en poudre ne fera pas de grumeaux.
- Pour éviter que la surface du muffin ne brûle, laisser toujours, si possible, un moule à muffin partiellement rempli d'eau. La vapeur de l'eau empêchera la surface de brûler et favorisera aussi une cuisson régulière.
- Si on n'a pas assez de pâte pour remplir tous les moules, on doit verser de l'eau dans les moules qui restent pour éviter que la chaleur n'abîme le métal.
- Avant de congeler les muffins, les laisser refroidir complètement. Les envelopper dans du papier d'aluminium ou les mettre dans des plats en plastique hermétiques ou dans des sacs en plastique. Les muffins peuvent ainsi se conserver de un à deux mois.

- Pour réchauffer les muffins congelés, les recouvrir légèrement d'une feuille d'aluminium et les mettre pendant 25 minutes au four à 200°C (400°F).
- Les muffins sont meilleurs si on les mange dans les deux jours qui suivent leur cuisson. Les conserver dans une boîte dont le couvercle n'est pas fermé hermétiquement. La surface risque de devenir collante ou trop humide dans une boîte hermétique.
- Pour réchauffer les muffins, les couvrir d'une feuille de papier d'aluminium sans presser le papier sur la surface et les mettre au four 10 minutes, à 200°C (400°F), ou bien les placer dans un sac en papier marron* dont on aura pris soin d'asperger d'eau l'extérieur avant de le mettre au four à 150°C (300°F) pendant 20 minutes.
- Pour requinquer des muffins rassis, asperger d'eau l'intérieur d'un sac en papier*, y mettre les muffins, bien le fermer et réchauffer pendant 20 minutes au four à 300°F (150°C).
- Les restes de muffins rassis peuvent se congeler dans un sac en plastique et s'utiliser plus tard comme garniture d'un ragoût. Émietter les muffins congelés sur le ragoût, parsemer de morceaux de beurre et recouvrir de fromage râpé. C'est délicieux, surtout avec des muffins salés ou avec des muffins à la farine de blé entier.
- Pour les muffins salés, graisser les moules avec des restes de graisse de bacon.
- Pour graisser les moules à muffins rapidement sans vous salir les doigts, glisser la main dans un sac à sandwich en plastique.
- Si on veut faire des muffins très gros, on doit graisser le dessus des moules pour éviter que la pâte ne colle.

Attention: Un sac de papier qui ne serait pas suffisamment humide ou une température du four plus élevée pourraient représenter un risque d'incendie.

• Pour nettoyer les plats où de la pâte est restée collée, il faut les plonger dans de l'eau froide avec du bicarbonate de soude (*soda à pâte*) et les y laisser plusieurs heures. Laver ensuite comme d'habitude.

Muffins sucrés

aux pommes et au son

Donne: 8 gros muffins ou 12 moyens
Préchauffer le four à 200°C (400°F) et préparer les moules.

Dans un grand bol, rassembler et bien mélanger:

Ingrédients	Quantité	
	Métrique	Impérial
Oeuf	2 unités	
Mélasse	50 mL	1/4 tasse
Miel	50 mL	1/4 tasse
Huile	125 mL	1/2 tasse
Céréale All-Bran	250 mL	1 tasse
Pomme hachée, légèrement tassée	375 mL	1 1/2 tasse
Raisin sec	50 mL	1/4 tasse

Dans un bol plus petit, bien mélanger:

Ingrédients	Quantité	
	Métrique	Impérial
Farine tout usage, non tamisée	250 mL	1 tasse
Bicarbonate de soude (soda à pâte)	10 mL	2 c. à thé
Cannelle	2 mL	1/2 c. à thé
Muscade	1 mL	1/4 c. à thé
Noix hachée	50 mL	1/4 tasse

Incorporer la préparation sèche à la préparation humide et remuer douce-ment jusqu'à ce qu'elles soient tout juste mélangées. À l'aide d'une cuil-ler, mettre la pâte dans les moules déjà préparés. Cuire au four à 200°C (400°F) pendant 20 minutes. Démouler et laisser refroidir sur une grille.

CONSEIL

Le goût des pommes ressort davantage quand le muffin est refroidi.

IDÉE POUR SERVIR

Servir avec du beurre non salé et du cheddar au petit déjeuner ou au déjeuner, ou bien avec du fromage cottage et des fruits.

aux pommes et aux carottes

Donne: 12 muffins moyens
Préchauffer le four à 190°C (375°F) et préparer les moules.

Dans un grand bol, rassembler et bien mélanger:

Ingrédients	Quantité Métrique	Quantité	Impérial
Oeuf		3 unités	
Sucre	150 mL		2/3 tasse
Huile	125 mL		1/2 tasse
Pomme râpée, moyenne	250 mL	1 unité	1 tasse
Carotte râpée, moyenne	250 mL	1 1/2 unité	1 tasse
Vanille	5 mL		1 c. à thé

Dans un bol plus petit, bien mélanger:

Ingrédients	Quantité Métrique	Impérial
Farine de blé entier, non tamisée	250 mL	1 tasse
Farine à gâteaux et à pâtisseries	250 mL	1 tasse
Levure chimique (*poudre à pâte*)	15 mL	1 c. à table
Bicarbonate de soude (*soda à pâte*)	2 mL	1/2 c. à thé
Sel	2 mL	1/2 c. à thé
Cannelle	2 mL	1/2 c. à thé
Noix ou pacane hachée (facultatif)	125 mL	1/2 tasse

Incorporer la préparation sèche à la préparation humide et remuer douce-ment jusqu'à ce qu'elles soient tout juste mélangées. À l'aide d'une cuil-ler, mettre la pâte dans les moules déjà préparés et décorer le dessus des muffins d'une moitié de noix ou de pacane. Cuire au four à 190°C (375°F) de 25 à 30 minutes. Démouler et laisser refroidir sur une grille.

CONSEIL

Passer la pomme râpée dans du jus de citron pour l'empêcher de noircir.

IDÉE POUR SERVIR

Préparer une *glace à la cannelle*: bien mélanger ensemble du bout des doigts 50 mL (4 c. à table) de sucre, 30 mL (2 c. à table) de farine, 2 mL (1/2 c. à thé) de cannelle et 15 mL (1 c. à table) de beurre ramolli. En napper les muffins avant de les mettre au four.

aux pommes et à la cannelle

Donne: 12 muffins moyens
Préchauffer le four à 200°C (400°F) et préparer les moules.

Dans un grand bol, rassembler et bien mélanger:

Ingrédients	Quantité Métrique	Quantité	Impérial
Oeuf		2 unités	
Cassonade	125 mL		1/2 tasse
Huile	125 mL		1/2 tasse
Jus de pomme	125 mL		1/2 tasse
Pomme hachée, moyenne	500 mL	2 unités	2 tasses
Raisin sec	50 mL		1/4 tasse
Vanille	5 mL		1 c. à thé

Dans un bol plus petit, bien mélanger:

Ingrédients	Quantité Métrique	Quantité	Impérial
Farine de blé entier, non tamisée	250 mL		1 tasse
Farine à gâteaux et à pâtisseries non tamisée	250 mL		1 tasse
Levure chimique (*poudre à pâte*)	15 mL		1 c. à table
Bicarbonate de soude (*soda à pâte*)	2 mL		1/2 c. à thé
Sel	2 mL		1/2 c. à thé
Cannelle	5 mL		1 c. à thé
Noix hachée (facultatif)	125 mL		1/2 tasse

Incorporer la préparation sèche à la préparation humide et remuer douce-ment jusqu'à ce qu'elles soient tout juste mélangées. À l'aide d'une cuil-ler, mettre la pâte dans les moules déjà préparés. Cuire au four à 200°C (400°F) de 20 à 25 minutes. Démouler et laisser refroidir sur une grille.

VARIANTE

aux pommes et au gingembre — Ne pas mettre de cannelle ni de raisins secs. Ajouter 9 morceaux de gingembre finement hachés (ou au goût) aux ingrédients secs.

IDÉE POUR SERVIR

Préparer une *glace au sucre et à la cannelle*: mélanger 125 mL (1/2 tasse) de sucre semoule et 15 mL (1 c. à table) de cannelle. Faire fondre 50 mL (1/4 tasse) de beurre. Plonger les muffins chauds dans le beurre fondu puis les passer dans le sucre à la cannelle. Servir. Conserver le reste du sucre à la cannelle dans un pot fermé.

aux pommes et à la farine d'avoine

Donne: 10 gros muffins ou 14 moyens
Préchauffer le four à 200°C (400°F) et préparer les moules.

Dans un grand bol, rassembler et bien mélanger:

Ingrédients	Quantité Métrique	Quantité	Impérial
Oeuf		2 unités	
Miel	45 mL		3 c. à table
Huile	125 mL		1/2 tasse
Lait	250 mL		1 tasse
Farine d'avoine ordinaire	250 mL		1 tasse
Pomme râpée, moyenne	500 mL	2 unités	2 tasses
Raisin sec	125 mL		1/2 tasse
Vanille	5 mL		1 c. à thé

Dans un bol plus petit, bien mélanger:

Ingrédients	Quantité Métrique	Quantité	Impérial
Farine tout usage	500 mL		2 tasses
Levure chimique (*poudre à pâte*)	15 mL		1 c. à table
Bicarbonate de soude (*soda à pâte*)	2 mL		1/2 c. à thé
Sel	2 mL		1/2 c. à thé
Cannelle	5 mL		1 c. à thé

Incorporer la préparation sèche à la préparation humide et remuer douce-
ment jusqu'à ce qu'elles soient tout juste mélangées. Cuire au four à
200°C (400°F) de 20 à 25 minutes. Démouler et laisser refroidir sur une
grille.

VARIANTE

aux pommes et au blé — Remplacer la farine d'avoine par des flocons
de blé.

CONSEIL

Pour que le goût de la farine d'avoine ressorte bien, utiliser des flocons
d'avoine ordinaire. On peut les remplacer par de la farine d'avoine non
instantanée à cuisson rapide mais la pâte perdra de son élasticité.

aux pommes

Donne: 10 gros muffins ou 14 moyens
Préchauffer le four à 200°C (400°F) et préparer les moules.

Dans un grand bol, rassembler et bien mélanger:

Ingrédients	Quantité Métrique	Quantité	Impérial
Oeuf		2 unités	
Miel	50 mL		1/4 tasse
Mélasse	50 mL		1/4 tasse
Huile	125 mL		1/2 tasse
Jus de pomme	175 mL		3/4 tasse
Pomme finement hachée, moyenne	250 mL	1 unité	1 tasse
Raisin de Corinthe ou raisin sec	125 mL		1/2 tasse

Dans un bol plus petit, bien mélanger:

Ingrédients	Quantité Métrique	Quantité	Impérial
Farine tout usage, non tamisée	250 mL		1 tasse
Farine de blé entier, non tamisée	125 mL		1/2 tasse
Germe de blé cru	50 mL		1/4 tasse
Levure chimique (*poudre à pâte*)	15 mL		1 c. à table
Bicarbonate de soude (*soda à pâte*)	5 mL		1 c. à thé
Sel	1 mL		1/4 c. à thé
Muscade	1 mL		1/4 c. à thé
Noix ou pacane hachée	125 mL		1/2 tasse

Incorporer la préparation sèche à la préparation humide et remuer douce-ment jusqu'à ce qu'elles soient tout juste mélangées. À l'aide d'une cuil-ler, mettre la pâte dans les moules déjà préparés. Cuire au four à 200°C (400°F) pendant 25 minutes. Démouler et laisser refroidir sur une grille.

CONSEIL

La mélasse tombera plus facilement de la cuiller à mesurer si on mesure d'abord l'huile avec cette cuiller.

IDÉE POUR SERVIR

Servir avec une *glace à la cannelle* (voir muffin *aux pommes et à la cannelle*), ou bien préparer un *beurre à la cannelle* en fouettant 125 mL (1/2 tasse) de beurre non salé et 50 mL (1/4 tasse) de sucre à la cannelle jusqu'à l'obtention d'une crème légère et onctueuse.

à la compote de pommes, aux épices et aux raisins secs

Donne: 12 muffins moyens
Préchauffer le four à 200°C (400°F) et préparer les moules.

Dans un grand bol, rassembler et bien mélanger:

Ingrédients	Quantité Métrique	Impérial
Oeuf	2 unités	
Cassonade	75 mL	1/3 tasse
Huile	125 mL	1/2 tasse
Compote de pommes en conserve	250 mL	1 tasse
Raisin sec	125 mL	1/2 tasse

Dans un bol plus petit, bien mélanger:

Ingrédients	Quantité Métrique	Impérial
Farine tout usage, non tamisée	425 mL	1 3/4 tasse
Levure chimique (*poudre à pâte*)	5 mL	1 c. à thé
Bicarbonate de soude (*soda à pâte*)	5 mL	1 c. à thé
Sel	1 mL	1/4 c. à thé
Cannelle	2 mL	1/2 c. à thé
Muscade	2 mL	1/2 c. à thé
Piment de la Jamaïque (*allspice*)	0,5 mL	1/8 c. à thé

Incorporer la préparation sèche à la préparation humide et remuer doucement jusqu'à ce qu'elles soient tout juste mélangées. À l'aide d'une cuiller, mettre la pâte dans les moules déjà préparés. Cuire au four à 200°C (400°F) pendant 20 à 25 minutes. Démouler et laisser refroidir sur une grille.

VARIANTE

à la compote de pommes et à la farine de blé entier ou farine de «premier jet» (Graham flour) — Remplacer la farine tout usage par 250 mL (1 tasse) de farine de blé entier ou non tamisée et 175 mL (3/4 tasse) de farine à gâteaux et à pâtisseries non tamisée.

CONSEIL

Si on remplace la compote de pommes en conserve par une compote maison, on doit doser les épices et les ingrédients de façon à obtenir une consistance identique à celle de la compote en conserve.

aux abricots

Donne: 10 muffins moyens
Préchauffer le four à 200°C (400°F) et préparer les moules.

Préparer une purée d'abricots:
Porter à ébullition 125 g (1/4 lb) d'abricots secs dans 175 mL (3/4 tasse) d'eau. Couvrir et laisser mijoter pendant 10 à 15 minutes. Verser le mélange dans un robot culinaire ou un malaxeur et réduire en purée. (La purée n'a pas besoin d'être totalement lisse.) Mettre de côté.

Dans un grand bol, rassembler et bien mélanger:

Ingrédients	Quantité	
	Métrique	Impérial
Oeuf	2 unités	
Cassonade	125 mL	1/2 tasse
Huile	50 mL	1/4 tasse
Purée d'abricots		
(*voir* ci-dessus)	175 mL	3/4 tasse
Extrait d'orange	5 mL	1 c. à thé

Dans un bol plus petit, bien mélanger:

Ingrédients	Quantité	
	Métrique	Impérial
Farine tout usage,		
non tamisée	375 mL	1 1/2 tasse
Levure chimique		
(*poudre à pâte*)	15 mL	1 c. à table
Bicarbonate de soude		
(*soda à pâte*)	2 mL	1/2 c. à thé
Sel	2 mL	1/2 c. à thé
Noix ou pacane hachée		
(facultatif)	125 mL	1/2 tasse

Incorporer la préparation sèche à la préparation humide et remuer doucement jusqu'à ce qu'elles soient tout juste mélangées. À l'aide d'une cuiller, mettre la pâte dans les moules déjà préparés et décorer le dessus des muffins d'un morceau d'abricot sec ou de noix. Cuire au four à 200°C (400°F) de 20 à 25 minutes. Démouler et laisser refroidir sur une grille.

VARIANTES

aux pruneaux — Préparer une purée de pruneaux. Procéder comme pour la purée d'abricots (*voir* ci-dessus) en remplaçant les abricots par la même quantité de pruneaux. Remplacer l'extrait d'orange par 5 mL (1 c. à thé) de vanille.

aux abricots ou aux pruneaux et avec de la farine de «premier jet» (Graham flour) — Remplacer la farine tout usage par 250 mL (1 tasse) de farine de «premier jet» non tamisée et 125 mL (1/2 tasse) de farine à gâteaux et à pâtisseries non tamisée. Ajouter 125 mL (1/2 tasse) de yogourt nature à la préparation humide.

aux bananes

Donne: 10 muffins moyens
Préchauffer le four à 190°C (375°F) et préparer les moules.
Dans un grand bol, battre au mélangeur électrique:

Ingrédients	Quantité Métrique	Impérial
Beurre	**125 mL**	**1/2 tasse**
Sucre	**125 mL**	**1/2 tasse**

Ajouter et bien mélanger:

Ingrédients	Métrique	Quantité	Impérial
Oeuf		**1 unité**	
Banane écrasée, moyenne	**250 mL**	**2 unités**	**1 tasse**
Levure chimique (*poudre à pâte*) **dissoute dans 15 mL (1 c. à table) d'eau chaude**	**5 mL**		**1 c. à thé**

Dans un bol plus petit, bien mélanger:

Ingrédients	Métrique	Quantité	Impérial
Farine tout usage, non tamisée	**375 mL**		**1 1/2 tasse**
Sel	**1 mL**		**1/4 c. à thé**
Muscade	**5 mL**		**1 c. à thé**
Noix hachée (facultatif)	**125 mL**		**1/2 tasse**

Incorporer la préparation sèche à la préparation humide et remuer douce-ment jusqu'à ce qu'elles soient tout juste mélangées. À l'aide d'une cuil-ler, mettre la pâte dans les moules déjà préparés et décorer le dessus des muffins d'une moitié de noix. Cuire au four à 190°C (375°F) pendant 20 minutes. Démouler et laisser refroidir sur une grille.

VARIANTES

aux bananes et aux pruneaux — Ajouter à la pâte 250 mL (1 tasse) de pruneaux dénoyautés hachés.

aux bananes et à la caroube — Diminuer la quantité de sucre à 75 mL (1/3 tasse) et ajouter au mélange sec 50 mL (1/4 tasse) de caroube en poudre. Ne pas mettre de muscade mais ajouter au mélange humide 5 mL (1 c. à thé) de vanille.

aux bananes et aux brisures de chocolat ou de caroube — Ajouter à la pâte 125 mL (1/2 tasse) de brisures de chocolat ou de caroube.

aux bananes et aux carottes

Donne: 12 muffins moyens
Préchauffer le four à 200°C (400°F) et préparer les moules.
Dans un grand bol, rassembler et bien mélanger:

Ingrédients	Quantité	
	Métrique	Impérial
Oeuf	2 unités	
Cassonade	125 mL	1/2 tasse
Huile	125 mL	1/2 tasse
Babeurre	125 mL	1/2 tasse
Carotte râpée, grosse	1 unité	
Banane écrasée, moyenne	125 mL	1 unité 1/2 tasse
Vanille	5 mL	1 c. à thé
Raisin sec	50 mL	1/4 tasse

Dans un bol plus petit, bien mélanger:

Ingrédients	Quantité	
	Métrique	Impérial
Farine tout usage, non tamisée	375 mL	1 1/2 tasse
Levure chimique (*poudre à pâte*)	10 mL	2 c. à thé
Bicarbonate de soude (*soda à pâte*)	5 mL	1 c. à thé
Sel	1 mL	1/4 c. à thé
Muscade	2 mL	1/2 c. à thé
Clou de girofle en poudre	une pincée	

Incorporer la préparation sèche à la préparation humide et remuer douce-
ment jusqu'à ce qu'elles soient tout juste mélangées. À l'aide d'une cuil-
ler, mettre la pâte dans les moules déjà préparés. Cuire au four à 200°C
(400°F) pendant 20 minutes. Démouler et laisser refroidir sur une grille.

CONSEIL

Pour les très jeunes enfants, ne pas mettre de raisins secs ni de muscade.

IDÉE POUR SERVIR

C'est le muffin préféré des enfants.

aux bananes et à la noix de coco

Donne: 24 petits muffins ou 12 moyens
Préchauffer le four à 190°C (375°F) et préparer les moules.
Dans un grand bol, rassembler et bien mélanger:

Ingrédients	Quantité Métrique	Impérial
Oeuf		1 unité
Sucre	125 mL	1/2 tasse
Beurre ou margarine		
fondue	125 mL	1/2 tasse
Babeurre ou yogourt		
nature	125 mL	1/2 tasse
Banane écrasée, moyenne	125 mL	1 unité 1/2 tasse
Vanille	5 mL	1 c. à thé
Noix de coco râpée,		
sucrée	250 mL	1 tasse

Dans un bol plus petit, bien mélanger:

Ingrédients	Quantité Métrique	Impérial
Farine tout usage,		
non tamisée	375 mL	1 1/2 tasse
Levure chimique		
(*poudre à pâte*)	7 mL	1 1/2 c. à thé
Bicarbonate de soude		
(*soda à pâte*)	5 mL	1 c. à thé
Sel	1 mL	1/4 c. à thé
Muscade	2 mL	1/2 c. à thé
Clou de girofle en poudre		une pincée

Incorporer la préparation sèche à la préparation humide et remuer douce-
ment jusqu'à ce qu'elles soient tout juste mélangées. À l'aide d'une cuil-
ler, mettre la pâte dans les moules préparés à l'avance. Cuire au four à
190°C (375°F) de 20 à 25 minutes. Démouler et laisser refroidir sur une
grille.

VARIANTE

Vous pouvez utiliser de la noix de coco séchée non sucrée mais dans ce cas il faut augmenter la quantité de babeurre ou de yogourt nature à 175 mL (3/4 tasse).

CONSEIL

Ne pas utiliser de la margarine molle.

IDÉE POUR SERVIR

Servir les petits muffins avec du thé au citron.

aux bananes et à l'orange

Donne: 12 muffins
Préchauffer le four à 200°C (400°F) et préparer les moules.

Dans un robot ou un malaxeur, réduire en purée:

Ingrédients	Quantité Métrique	Impérial
Orange entière avec zeste	1 unité	

Dans un grand bol, rassembler et bien mélanger:

Ingrédients	Quantité Métrique	Impérial
Oeuf	2 unités	
Cassonade	125 mL	1/2 tasse
Huile	125 mL	1/2 tasse
Banane écrasée, petite	2 unités	
Purée d'orange (*voir* ci-dessus)	tel qu'indiqué	
Jus d'orange	125 mL	1/2 tasse

Dans un bol plus petit, bien mélanger:

Ingrédients	Quantité Métrique	Impérial
Farine tout usage, non tamisée	375 mL	1 1/2 tasse
Levure chimique (*poudre à pâte*)	15 mL	1 c. à table
Bicarbonate de soude (*soda à pâte*)	2 mL	1/2 c. à thé
Sel	2 mL	1/2 c. à thé
Muscade	1 mL	1/4 c. à thé
Noix hachée (facultatif)	250 mL	1 tasse

Incorporer la préparation sèche à la préparation humide et remuer doucement jusqu'à ce qu'elles soient tout juste mélangées. À l'aide d'une cuiller, mettre la pâte dans les moules déjà préparés. Cuire au four à 200°C (400°F) de 20 à 25 minutes. Démouler et laisser refroidir sur une grille.

CONSEIL

La purée d'oranges et la banane écrasée, ensemble, doivent donner 250 mL (1 tasse). Pour râper le zeste d'orange avec le robot, se référer au muffin *au citron et à l'orange*.

aux bananes et au beurre d'arachide

Donne: 10 muffins moyens
Préchauffer le four à 200°C (400°F) et préparer les moules.

Dans un grand bol, rassembler et bien mélanger:

Ingrédients	Métrique	Quantité	Impérial
Oeuf		2 unités	
Miel	125 mL		1/2 tasse
Huile	125 mL		1/2 tasse
Banane écrasée, moyenne	250 mL	2 unités	1 tasse
Beurre d'arachide crémeux ou croustillant	125 mL		1/2 tasse
Vanille	5 mL		1 c. à thé

Dans un bol plus petit, bien mélanger:

Ingrédients	Métrique	Quantité	Impérial
Farine tout usage, non tamisée	375 mL		1 1/2 tasse
Levure chimique (*poudre à pâte*)	15 mL		1 c. à table
Bicarbonate de soude (*soda à pâte*)	2 mL		1/2 c. à thé
Sel	2 mL		1/2 c. à thé

Incorporer la préparation sèche à la préparation humide et remuer douce-ment jusqu'à ce qu'elles soient tout juste mélangées. À l'aide d'une cuil-ler, mettre la pâte dans les moules déjà préparés. Cuire au four à 200°C (400°F) pendant 20 minutes. Démouler et laisser refroidir sur une grille.

CONSEIL

Pour les tout-petits et les plus jeunes, utiliser du beurre d'arachide cré-meux.

aux bleuets, au son et au germe de blé

Donne: 12 gros muffins ou 16 moyens
Préchauffer le four à 200°C (400°F) et préparer les moules.

Dans un grand bol, rassembler et bien mélanger:

Ingrédients	Quantité Métrique	Impérial
Oeuf		3 unités
Cassonade	250 mL	1 tasse
Huile	125 mL	1/2 tasse
Babeurre	500 mL	2 tasses
Vanille	5 mL	1 c. à thé
Germe de blé cru	250 mL	1 tasse
Son	250 mL	1 tasse

Dans un bol plus petit, bien mélanger:

Ingrédients	Quantité Métrique	Impérial
Farine tout usage, non tamisée	500 mL	2 tasses
Levure chimique (*poudre à pâte*)	10 mL	2 c. à thé
Bicarbonate de soude (*soda à pâte*)	10 mL	2 c. à thé
Sel	2 mL	1/2 c. à thé
Bleuet frais ou surgelé, entier	375 mL	1 1/2 tasse

Incorporer la préparation sèche à la préparation humide et remuer douce-ment jusqu'à ce qu'elles soient tout juste mélangées. À l'aide d'une cuil-ler, mettre la pâte dans les moules déjà préparés. Cuire au four à 200°C (400°F) de 20 à 25 minutes. Démouler et laisser refroidir sur une grille.

VARIANTE

aux canneberges, au son et au germe de blé — Remplacer les bleuets par 375 mL (1 1/2 tasse) de canneberges hachées fraîches ou surgelées.

CONSEIL

Ne décongeler ni les bleuets ni les canneberges avant de les utiliser pour éviter de tacher la pâte.

au babeurre et au son

Donne: 36 muffins moyens
Préchauffer le four à 200°C (400°F) et préparer les moules.
Dans un grand bol, rassembler et bien mélanger:

Ingrédients	Quantité Métrique	Impérial
Oeuf	6 unités	
Cassonade	250 mL	1 tasse
Mélasse	125 mL	1/2 tasse
Huile	375 mL	1 tasse
Vanille	10 mL	1 c. à thé
Babeurre	1 L	1 pinte
Son	1,125 L	4 1/2 tasses
Datte ou pruneau haché(e)	250 mL	1 tasse
Raisin de Corinthe ou raisin sec	250 mL	1 tasse

Dans un bol plus petit, bien mélanger:

Ingrédients	Quantité Métrique	Impérial
Farine tout usage, non tamisée	500 mL	2 tasses
Farine de blé entier, non tamisée	500 mL	2 tasses
Levure chimique (*poudre à pâte*)	20 mL	4 c. à thé
Bicarbonate de soude (*soda à pâte*)	20 mL	4 c. à thé
Noix ou pacane hachée (facultatif)	250 mL	1 tasse

Incorporer la préparation sèche à la préparation humide et remuer douce-
ment jusqu'à ce qu'elles soient tout juste mélangées. À l'aide d'une cuil-
ler, mettre la pâte dans les moules déjà préparés. Cuire au four à 200°C
(400°F) de 20 à 25 minutes. Démouler et laisser refroidir sur une grille.

VARIANTES

au babeurre, au son et aux flocons de blé — Remplacer 1,125 L (4 1/2 tasses) de son par 625 mL (2 1/2 tasses) de son et 500 mL (2 tasses) de flocons de blé.

au babeurre, au son et au germe de blé — Remplacer 1,125 L (4 1/2 tasses) de son par 625 mL (2 1/2 tasses) de son et 500 mL (2 tasses) de germe de blé.

au babeurre, au son et à la farine d'avoine — Remplacer 1,125 L (4 1/2 tasses) de son par 625 mL (2 1/2 tasses) de son et 500 mL (2 tasses) de farine d'avoine.

au babeurre, au son et à la farine de «premier jet» (Graham flour) — Remplacer la farine de blé entier par 500 mL (2 tasses) de farine de «premier jet» non tamisée.

au babeurre et à la farine d'avoine

Donne: 12 muffins moyens
Préchauffer le four à 200°C (400°F) et préparer les moules.
Mélanger puis laisser tremper pendant 10 minutes:

Ingrédients	Quantité	
	Métrique	Impérial
Farine d'avoine ordinaire (gruau)	375 mL	1 1/2 tasse
Babeurre	375 mL	1 1/2 tasse

Dans un grand bol, rassembler et bien mélanger:

Ingrédients	Quantité	
	Métrique	Impérial
Oeuf	2 unités	
Cassonade	125 mL	1/2 tasse
Beurre ou margarine, fondu(e)	125 mL	1/2 tasse
Mélange à la farine d'avoine (*voir* ci-dessus)	tel qu'indiqué	
Vanille	5 mL	1 c. à thé

Dans un bol plus petit, bien mélanger:

Ingrédients	Quantité	
	Métrique	Impérial
Farine tout usage	375 mL	1 1/2 tasse
Levure chimique (*poudre à pâte*)	15 mL	1 c. à table
Bicarbonate de soude (*soda à pâte*)	2 mL	1/2 c. à thé
Sel	2 mL	1/2 c. à thé
Muscade	0,5 mL	1/8 c. à thé

Incorporer la préparation sèche à la préparation humide et remuer douce-ment jusqu'à ce qu'elles soient tout juste mélangées. À l'aide d'une cuil-ler, mettre la pâte dans les moules déjà préparés. Cuire au four à 200°C (400°F) pendant 20 minutes. Démouler et laisser refroidir sur une grille.

VARIANTES

à la farine d'avoine et aux bleuets — Laisser tremper seulement 250 mL (1 tasse) de farine d'avoine ordinaire dans 250 mL (1 tasse) de babeurre. Remplacer la farine tout usage par 125 mL (1/2 tasse) de farine de «premier jet» (Graham flour) et 250 mL (1 tasse) de farine tout usage. Au dernier moment, ajouter 250 mL (1 tasse) de bleuets frais ou surgelés.

à la farine d'avoine et aux canneberges — Laisser tremper seulement 250 mL (1 tasse) de farine d'avoine ordinaire dans 250 mL (1 tasse) de babeurre. Augmenter la quantité de cassonade à 150 mL (2/3 tasse). Au dernier moment, ajouter 250 mL (1 tasse) de canneberges hachées, fraîches ou surgelées.

à la courge

Donne: 12 muffins moyens
Préchauffer le four à 200°C (400°F) et préparer les moules.

Pour préparer une purée de courge:
Faire cuire une courge de 500 g (1 lb) jusqu'à ce qu'elle soit très molle (environ une heure). Passer la pulpe et en garder de côté 175 mL (3/4 tasse). Si on a un malaxeur ou un robot, on peut enlever les graines et réduire la pulpe en purée.

Dans un grand bol, rassembler et bien mélanger:

Ingrédients	Quantité	
	Métrique	Impérial
Oeuf	2 unités	
Cassonade	125 mL	1/2 tasse
Beurre ou margarine, fondu(e)	125 mL	1/2 tasse
Lait	175 mL	3/4 tasse
Purée de courge (*voir* ci-dessus)	175 mL	3/4 tasse
Raisin sec	125 mL	1/2 tasse

Dans un bol plus petit, bien mélanger:

Ingrédients	Quantité	
	Métrique	Impérial
Farine tout usage, non tamisée	250 mL	1 tasse
Farine de blé entier	125 mL	1/2 tasse
Farine à gâteaux et à pâtisseries	125 mL	1/2 tasse
Levure chimique (*poudre à pâte*)	15 mL	1 c. à table
Bicarbonate de soude (*soda à pâte*)	2 mL	1/2 c. à thé
Sel	2 mL	1/2 c. à thé
Cannelle	2 mL	1/2 c. à thé
Muscade	2 mL	1/2 c. à thé
Noix ou pacane, hachée	125 mL	1/2 tasse

Incorporer la préparation sèche à la préparation humide et remuer douce-
ment jusqu'à ce qu'elles soient tout juste mélangées. À l'aide d'une cuil-
ler, mettre la pâte dans les moules et décorer le dessus des muffins d'une
moitié de noix ou de pacane. Cuire au four à 200°C (400°F) de 20 à 25 minutes. Démouler et laisser refroidir sur une grille.

CONSEIL

Ajouter à la pâte 125 mL (1/2 tasse) de graines ou de fruits secs grillés
(graines de citrouille, de sésame, de cacahuètes ou de soja, etc.); en parsemer également le dessus des muffins.

On obtient aussi de bons résultats avec de la courge surgelée.

à la caroube et à l'orange

Donne: 14 muffins moyens
Préchauffer le four à 200°C (400°F) et préparer les moules.
Dans un robot ou un malaxeur, réduire en purée:

Ingrédients	Quantité	
	Métrique	Impérial
Orange avec le zeste	1 unité	

Dans un grand bol, rassembler et bien mélanger:

Ingrédients	Quantité	
	Métrique	Impérial
Oeuf	2 unités	
Cassonade	50 mL	1/4 tasse
Miel	50 mL	1/4 tasse
Purée d'oranges (*voir* ci-dessus)	tel qu'indiqué	
Huile	125 mL	1/2 tasse
Lait	250 mL	1 tasse
Vanille	5 mL	1 c. à thé

Dans un bol plus petit, bien mélanger:

Ingrédients	Quantité	
	Métrique	Impérial
Farine tout usage, non tamisée	500 mL	2 tasses
Caroube en poudre	50 mL	1/4 tasse
Levure chimique (*poudre à pâte*)	15 mL	1 c. à table
Bicarbonate de soude (*soda à pâte*)	2 mL	1/2 c. à thé
Gingembre en poudre	1 mL	1/4 c. à thé
Noix ou pacane hachée	125 mL	1/2 tasse

Incorporer la préparation sèche à la préparation humide et remuer douce-ment jusqu'à ce qu'elles soient tout juste mélangées. À l'aide d'une cuil-ler, mettre la pâte dans les moules déjà préparés. Cuire au four à 200°C (400°F) pendant 20 minutes. Démouler et laisser refroidir sur une grille.

VARIANTES

au chocolat et à l'orange — Augmenter la quantité de cassonade à 125 mL (1/2 tasse). Remplacer la caroube en poudre par du cacao.

aux brisures de caroube — Ne pas mettre de purée d'oranges. Remplacer les noix ou pacanes par 125 mL (1/2 tasse) de brisures de caroube.

IDÉE POUR SERVIR

Servir avec du fromage à la crème, fouetté.

au cheddar

Donne: 10 muffins moyens
Préchauffer le four à 200°C (400°F) et préparer les moules.

Dans un grand bol, rassembler et bien mélanger:

Ingrédients	Quantité Métrique	Impérial
Oeuf	2 unités	
Miel ou sirop d'érable	50 mL	1/4 tasse
Huile	50 mL	1/4 tasse
Babeurre ou yogourt nature	125 mL	1/2 tasse
Cheddar fort râpé	250 mL	1 tasse (1/4 lb)
Moutarde préparée	5 mL	1 c. à thé

Ingrédients	Quantité Métrique	Impérial

Dans un bol plus petit, bien mélanger:

Ingrédients	Quantité Métrique	Impérial
Farine à gâteaux et à pâtisseries, non tamisée	250 mL	1 tasse
Farine de blé entier, non tamisée	125 mL	1/2 tasse
Levure chimique (*poudre à pâte*)	7 mL	1 1/2 c. à thé
Bicarbonate de soude (*soda à pâte*)	2 mL	1/2 c. à thé
Sel	2 mL	1/2 c. à thé

Incorporer la préparation sèche à la préparation humide et remuer doucement jusqu'à ce qu'elles soient tout juste mélangées. À l'aide d'une cuiller, mettre la pâte dans les moules déjà préparés. Cuire au four à 200°C (400°F) pendant 20 minutes. Démouler et laisser refroidir sur une grille.

VARIANTES

au bacon et au cheddar — Ne pas mettre de sel. On doit ajouter 125 mL (1/2 tasse) de miettes de bacon frit et croustillant à la pâte quand on mélange les préparations sèches et humides.

aux pommes et au cheddar — Donne: 12 muffins moyens. Ne pas mettre de moutarde préparée. Remplacer la farine à gâteaux et à pâtisseries par 250 mL (1 tasse) de farine tout usage et 125 mL (1/2 tasse) de farine de blé entier non tamisée. Ajouter 250 mL (1 tasse) de pomme pelée hachée au mélange humide.

aux dattes et au fromage — Donne: 12 muffins moyens. Ne pas mettre de moutarde préparée. Ajouter 175 mL (3/4 tasse) de dattes hachées au mélange humide.

aux carottes et au cheddar — Donne: 12 muffins moyens. Remplacer le cheddar fort par 175 mL (3/4 tasse) de cheddar doux. (Ne pas utiliser de cheddar mi-fort.) Ajouter 250 mL (1 tasse) de carottes râpées au mélange humide. Remplacer la farine à gâteaux et à pâtisseries et la farine de blé entier par 375 mL (1 1/2 tasse) de farine tout usage non tamisée.

aux cerises et aux amandes ou aux pacanes

Donne: 12 muffins moyens
Préchauffer le four à 200°C (400°F) et préparer les moules.

Dans un grand bol, rassembler et bien mélanger:

Ingrédients	Quantité Métrique	Impérial
Oeuf	**4 unités**	
Sucre	**125 mL**	**1/2 tasse**
Beurre ou margarine, fondu(e)	**125 mL**	**1/2 tasse**
Cerise acide dénoyautée, entière	**250 mL**	**1 tasse**
	ou 398 mL	**1 boîte 14 oz**
Extrait d'amande	**2 mL**	**1/2 c. à thé**

Dans un bol plus petit, bien mélanger:

Ingrédients	Quantité Métrique	Impérial
Farine tout usage	**500 mL**	**2 tasses**
Levure chimique (*poudre à pâte*)	**15 mL**	**1 c. à table**
Bicarbonate de soude (*soda à pâte*)	**5 mL**	**1 c. à thé**
Sel	**1 mL**	**1/4c. à thé**
Amande ou pacane finement hachée	**250 mL**	**1 tasse**

Incorporer la préparation sèche à la préparation humide et remuer douce-ment jusqu'à ce qu'elles soient tout juste mélangées. À l'aide d'une cuil-ler, mettre la pâte dans les moules déjà préparés. Cuire au four à 200°C (400°F) pendant 20 minutes. Démouler et laisser refroidir sur une grille.

VARIANTES

à la macédoine de fruits — Remplacer les cerises par 250 mL (1 tasse) de macédoine de fruits bien égouttée (1 boîte de 398 mL (14 oz)). Ne pas mettre de noix.

CONSEIL

Le muffin aux **cerises et aux amandes ou aux pacanes** a encore meilleure apparence et meilleur goût quand les cerises dénoyautées en conserve sont laissées entières et que les amandes ou les pacanes sont finement hachées.

IDÉE POUR SERVIR

Pour les enfants, décorer le dessus des muffins **à la macédoine de fruits** d'une moitié de cerise au marasquin.

aux cerises et à l'ananas

Donne: 24 petits muffins ou 12 moyens
Préchauffer le four à 200°C (400°F) et préparer les moules.

Dans un grand bol, rassembler et bien mélanger:

Ingrédients	Quantité Métrique	Quantité Impérial
Oeuf		2 unités
Sucre	75 mL	1/3 tasse
Beurre ou margarine	50 mL	1/4 tasse
Ananas écrasé non sucré, non égoutté	250 mL	1 tasse
Cerise au marasquin	50 mL environ 18	1/4 tasse
Extrait d'amande	2 mL	1/2 c. à thé

Dans un bol plus petit, bien mélanger:

Ingrédients	Quantité Métrique	Quantité Impérial
Farine tout usage, non tamisée	500 mL	2 tasses
Levure chimique (*poudre à pâte*)	15 mL	1 c. à table
Bicarbonate de soude (*soda à pâte*)	2 mL	1/2 c. à thé
Sel	2 mL	1/2 c. à thé

Incorporer la préparation sèche à la préparation humide et remuer douce-
ment jusqu'à ce qu'elles soient tout juste mélangées. À l'aide d'une cuil-
ler, mettre la pâte dans les moules déjà préparés. Cuire au four à 200°C
(400°F), de 15 à 20 minutes. Démouler et laisser refroidir sur une grille.

CONSEIL

Les cerises au marasquin, confites ou sèches, sont faciles à hacher avec
des ciseaux de cuisine.

IDÉE POUR SERVIR

Préparer des petits muffins sans beurre pour une réunion ou l'heure du
thé. Les décorer d'une moitié de cerise au marasquin.

au cacao et aux brisures de chocolat

Donne: 10 muffins moyens
Préchauffer le four à 200°C (400°F) et préparer les moules.

Dans un grand bol, rassembler et bien mélanger:

Ingrédients	Quantité Métrique	Impérial
Oeuf	2 unités	
Huile	125 mL	1/2 tasse
Lait	250 mL	1 tasse
Vanille	5 mL	1 c. à thé

Dans un bol plus petit, bien mélanger:

Ingrédients	Quantité Métrique	Impérial
Farine tout usage, non tamisée	425 mL	1 3/4 tasse
Sucre	125 mL	1/2 tasse
Cacao pur	50 mL	1/4 tasse
Levure chimique (*poudre à pâte*)	15 mL	1 c. à table
Sel	2 mL	1/2 c. à thé
Brisure de chocolat semi-amer	125 mL	1/2 tasse

Incorporer la préparation sèche à la préparation humide et remuer doucement jusqu'à ce qu'elles soient tout juste mélangées. À l'aide d'une cuiller, mettre la pâte dans les moules déjà préparés. Cuire au four à 200°C (400°F) pendant 20 minutes. Démouler et laisser refroidir sur une grille.

VARIANTES

à l'arôme artificiel d'érable et au brisures de caramel au beurre — Remplacer le sucre par de la cassonade. Ne pas mettre de cacao et ajouter 500 mL (2 tasses) de farine tout usage non tamisée au lieu de 425 mL (1 3/4 tasse). Remplacer la vanille par 5 mL (1 c. à thé) d'extrait d'érable et les brisures de chocolat par des brisures de caramel au beurre.

au cacao et aux brisures de beurre d'arachide — Remplacer les brisures de chocolat par des brisures de beurre d'arachide.

CONSEIL

Le goût de chocolat sera encore meilleur si on utilise du chocolat à cuire liquide semi-amer (30 mL) (2 c. à table) (existe en tube) et si on augmente la quantité de farine tout usage à 500 mL (2 tasses), non tamisée. Parsemer de brisures de chocolat le dessus des muffins avant de les mettre au four.

au citron et à l'orange

Donne: 24 petits muffins ou 12 moyens
Préchauffer le four à 200°C (400°F) et préparer les moules.

Dans un grand bol, rassembler et bien mélanger:

Ingrédients		Quantité Métrique		Impérial
Oeuf		2 unités		
Sucre		125 mL		1/2 tasse
Huile		125 mL		1/2 tasse
Lait		125 mL		1/2 tasse
Zeste de citron râpé		15 mL	1 unité	1 c. à table
Peau d'orange râpée		22 mL	1 unité	1 1/2 c. à table
Jus de citron	doivent mesurer	125 mL	1 unité	1/2 tasse
Jus d'orange	ensemble		1 unité	

Dans un bol plus petit, bien mélanger:

Ingrédients	Quantité Métrique	Impérial
Farine à gâteaux et à pâtisseries, non tamisée	300 mL	1 1/4 tasse
Farine de blé entier, non tamisée	250 mL	1 tasse
Levure chimique (*poudre à pâte*)	15 mL	1 c. à table
Bicarbonate de soude (*soda à pâte*)	2 mL	1/2 c. à thé
Sel	2 mL	1/2 c. à thé

Incorporer la préparation sèche à la préparation humide et remuer douce-
ment jusqu'à ce qu'elles soient tout juste mélangées. À l'aide d'une cuil-
ler, mettre la pâte dans les moules déjà préparés. Cuire au four à 200°C
(400°F) pendant 20 minutes. Démouler et laisser refroidir sur une grille.

CONSEIL

Pour râper les zestes de citron et d'orange au robot, les séparer du fruit, les hacher en morceaux de 2,5 cm (1 po) et mélanger avec 50 mL (1/4 tasse) ou 125 mL (1/2 tasse) de sucre. Tenir compte de ce sucre dans la recette et faire les modifications nécessaires. Ne pas essayer d'enlever la membrane blanche amère qui adhère au zeste. Si le zeste ne se détache pas facilement du fruit, utiliser un couteau éplucheur.

IDÉE POUR SERVIR

Délicieux nature ou avec du thé au citron, ou encore servi avec du *beurre à l'orange*. Pour préparer du *beurre à l'orange:* râper le zeste de 2 oranges (environ 45 mL (3 c. à table)) et bien mélanger avec 125 mL (1/2 tasse) de sucre semoule. Ajouter 250 mL (1 tasse) de beurre non salé et battre jusqu'à l'obtention d'une crème légère et onctueuse. Si on le désire, on peut congeler à moitié.

au citron et aux courgettes

Donne: 24 muffins ou 12 moyens
Préchauffer le four à 200°C (400°F) et préparer les moules.

Dans un grand bol, rassembler et bien mélanger:

Ingrédients	Quantité Métrique		Impérial
Oeuf		2 unités	
Sucre	150 mL		2/3 tasse
Huile	125 mL		1/2 tasse
Zeste de citron râpé	environ 15 mL		1 c. à table
Jus de citron	50 mL	1 unité	1/4 tasse
Petite courgette râpée			
avec la peau	375 mL	2 unités	1 1/2 tasse

Dans un bol plus petit, bien mélanger:

Ingrédients	Quantité Métrique	Impérial
Farine tout usage,		
non tamisée	500 mL	2 tasses
Levure chimique		
(*poudre à pâte*)	10 mL	2 c. à thé
Bicarbonate de soude		
(*soda à pâte*)	2 mL	1/2 c. à thé
Sel	1 mL	1/4 c. à thé
Muscade	0,5 mL	1/8 c. à thé

Incorporer la préparation sèche à la préparation humide et remuer douce-ment jusqu'à ce qu'elles soient tout juste mélangées. À l'aide d'une cuil-ler, mettre la pâte dans les moules déjà préparés. Cuire au four à 200°C (400°F), de 20 à 25 minutes. Démouler et laisser refroidir sur une grille.

IDÉE POUR SERVIR

Évider légèrement les petits muffins et les remplir de crème de citron. Servir les muffins plus gros avec de la *crème à tartiner au citron*. Préparer d'abord du *beurre au citron* (*voir* les muffins *aux canneberges et aux noix*) puis mélanger des quantités égales de crème à tartiner et de beurre au citron. Battre jusqu'à l'obtention d'une crème légère et onctueuse.

à la noix de coco

Donne: 26 petits muffins ou 14 moyens
Préchauffer le four à 200°C (400°F) et préparer les moules.

Dans un grand bol, rassembler et bien mélanger:

Ingrédients	Quantité Métrique	Impérial
Oeuf	2 unités	
Sucre	125 mL	1/2 tasse
Beurre ou margarine, fondu(e)	125 mL	1/2 tasse
Lait	175 mL	3/4 tasse
Zeste de citron râpé	10 mL	2 c. à thé
Noix de coco râpée, sucrée	375 mL	1 1/2 tasse

Dans un bol plus petit, bien mélanger:

Ingrédients	Quantité Métrique	Impérial
Farine à gâteaux et à pâtisseries, non tamisée	375 mL	1 1/2 tasse
Levure chimique (*poudre à pâte*)	7 mL	1 1/2 c. à thé
Bicarbonate de soude (*soda à pâte*)	2 mL	1/2 c. à thé
Sel	1 mL	1/4 c. à thé

Incorporer la préparation sèche à la préparation humide et remuer douce-ment jusqu'à ce qu'elles soient tout juste mélangées. À l'aide d'une cuil-ler, mettre la pâte dans les moules déjà préparés. Cuire au four à 200°C (400°F), de 20 à 25 minutes. Démouler et laisser refroidir sur une grille.

VARIANTES

au chocolat et à la noix de coco — Ajouter au mélange sec 50 mL (3. c. à table) de cacao et 50 mL (1/4 tasse) de sucre.

à la caroube et à la noix de coco — Ajouter au mélange sec 50 mL (3 c. à table) de caroube en poudre.

aux brisures de chocolat et à la noix de coco — Ajouter 125 mL (1/2 tasse) de brisures de chocolat semi-amer à la pâte à muffin à la noix de coco ou à la pâte à muffin au chocolat et à la noix de coco.

au maïs et au germe de blé

Donne: 15 muffins moyens ou 12 gros
Préchauffer le four à 200°C (400°F) et préparer les moules.

Mélanger et laisser tremper pendant 10 minutes:

Ingrédients	Quantité Métrique	Impérial
Semoule de maïs	250 mL	1 tasse
Babeurre	500 mL	2 tasses

Dans un grand bol, rassembler et bien mélanger:

Ingrédients	Quantité Métrique	Impérial
Oeuf	2 unités	
Sucre	125 mL	1/2 tasse
Huile	125 mL	1/2 tasse
Mélange à la semoule de maïs (*voir* ci-dessus)		tel qu'indiqué

Dans un bol plus petit, bien mélanger:

Ingrédients	Quantité Métrique	Impérial
Farine tout usage, non tamisée	425 mL	1 3/4 tasse
Germe de blé cru	250 mL	1 tasse
Levure chimique (*poudre à pâte*)	10 mL	2 c. à thé
Bicarbonate de soude (*soda à pâte*)	5 mL	1 c. à thé
Sel	5 mL	1 c. à thé

Incorporer la préparation sèche à la préparation humide et remuer douce-ment jusqu'à ce qu'elles soient tout juste mélangées. À l'aide d'une cuil-ler, mettre la pâte dans les moules déjà préparés. Cuire au four à 200°C (400°F) pendant 20 minutes. Démouler et laisser refroidir sur une grille.

VARIANTE

à la semoule de maïs avec de la confiture — Déposer 5 mL (1 c. à thé) de confiture sur le dessus des muffins avant de les mettre au four (*voir* les muffins *à la confiture de pêches*).

IDÉE POUR SERVIR

Excellent au petit déjeuner avec des oeufs et du bacon.

aux canneberges et aux noix

Donne: 12 muffins moyens
Préchauffer le four à 200°C (400°F) et préparer les moules.

Dans un grand bol, rassembler et bien mélanger:

Ingrédients	Quantité Métrique	Impérial
Oeuf	2 unités	
Beurre ou margarine, fondu(e)	50 mL	1/4 tasse
Lait	250 mL	1 tasse
Vanille	5 mL	1 c. à thé

Dans un bol plus petit, bien mélanger:

Ingrédients	Quantité Métrique	Impérial
Farine tout usage, non tamisée	500 mL	2 tasses
Sucre	175 ml	3/4 tasse
Levure chimique (*poudre à pâte*)	15 mL	1 c. à table
Bicarbonate de soude (*soda à pâte*)	2 mL	1/2 c. à thé
Sel	2 mL	1/2 c. à thé
Canneberge fraîche ou surgelée, hachée	375 mL	1 1/2 tasse
Noix hachée (facultatif)	125 mL	1/2 tasse

Incorporer la préparation sèche à la préparation humide et remuer doucement jusqu'à ce qu'elles soient tout juste mélangées. À l'aide d'une cuiller, mettre la pâte dans les moules déjà préparés. Cuire au four à 200°C (400°F) pendant 25 minutes. Démouler et laisser refroidir sur une grille.

VARIANTE

aux bleuets et aux noix — Remplacer les canneberges par des bleuets frais ou surgelés. Remplacer la vanille par 5 mL (1 c. à thé) de zeste de citron râpé.

CONSEIL

Ne pas décongeler les bleuets ni les canneberges avant de les utiliser pour éviter de tacher la pâte.

IDÉE POUR SERVIR

Les muffins *aux bleuets et aux noix* sont particulièrement savoureux avec *beurre au citron* — Râpez le zeste de 3 citrons (environ 45 mL) (3 c. à table) et bien le mélanger avec 125 mL (1/2 tasse) de sucre semoule. Ajouter 250 mL (1 tasse) de beurre non salé et battre jusqu'à l'obtention d'une crème légère et onctueuse.

à la crème de blé

Donne: 12 muffins moyens
Préchauffer le four à 200°C (400°F) et préparer les moules.

Dans un grand bol, rassembler et bien mélanger:

Ingrédients	Quantité Métrique	Impérial
Oeuf	2 unités	
Beurre ou margarine, fondu(e)	125 mL	1/2 tasse
Lait	250 mL	1 tasse
Vanille	5 mL	1 c. à thé

Dans un bol plus petit, bien mélanger:

Ingrédients	Quantité Métrique	Impérial
Farine tout usage, non tamisée	300 mL	1 1/4 tasse
Crème de blé	175 mL	3/4 tasse
Sucre	125 mL	1/2 tasse
Levure chimique (*poudre à pâte*)	15 mL	1 c. à table
Sel	2 mL	1/2 c. à thé

Incorporer la préparation sèche à la préparation humide et remuer douce-
ment jusqu'à ce qu'elles soient tout juste mélangées. À l'aide d'une cuil-
ler, mettre la pâte dans les moules déjà préparés. Cuire au four à 200°C
(400°F) pendant 20 minutes. Démouler et laisser refroidir sur une grille.

VARIANTE

à la semoule de blé dur — Remplacer le germe de blé par de la semoule
de blé dur.

IDÉE POUR SERVIR

Pour les jeunes enfants, déposer 5 mL (1 c. à thé) de confiture sur le dessus des muffins. Avec le dos de la cuiller, faire pénétrer doucement la
moitié de la confiture dans le muffin. Mettre au four puis bien laisser refroidir. Ne pas utiliser de gelée car elle fondrait et déborderait du moule.

Ce muffin est également très bon avec une glace aux *pommes et à la
cannelle* (*voir* muffin *au riz*).

au beurre d'arachide croustillant et au miel

Donne: 14 muffins moyens
Préchauffer le four à 190°C (375°F) et préparer les moules.

Dans un grand bol, rassembler et bien mélanger:

Ingrédients	Quantité	
	Métrique	Impérial
Oeuf	2 unités	
Miel	125 mL	1/2 tasse
Huile	50 mL	1/4 tasse
Babeurre	250 mL	1 tasse
Beurre d'arachide		
fraîchement moulue	250 mL	1 tasse
Vanille	5 mL	1 c. à thé

Dans un bol plus petit, bien mélanger:

Ingrédients	Quantité	
	Métrique	Impérial
Farine de blé entier,		
non tamisée	250 mL	1 tasse
Farine à gâteaux		
et à pâtisseries,		
non tamisée	250 mL	1 tasse
Levure chimique		
(*poudre à pâte*)	10 mL	2 c. à thé
Bicarbonate de soude		
(*soda à pâte*)	5 mL	1 c. à thé
Sel	2 mL	1/2 c. à thé
Arachide hachée,		
crue et non salée	125 mL	1/2 tasse

Incorporer la préparation sèche à la préparation humide et remuer douce-ment jusqu'à ce qu'elles soient tout juste mélangées. À l'aide d'une cuiller, mettre la pâte dans les moules déjà préparés et parsemer le dessus des muffins de cacahuètes hachées. Cuire au four à 190°C (375°F) pendant 25 minutes. Démouler et laisser refroidir sur une grille.

VARIANTE

Ne pas mettre de sel et remplacer les cacahuètes hachées par 125 mL (1/2 tasse) de graines de citrouille grillées. Parsemer le dessus des muffins de graines de citrouille avant de les mettre au four.

CONSEIL

Pour liquéfier du miel qui s'est cristallisé, il faut mettre le pot dans l'eau chaude. Ne pas utiliser de miel crémeux durci.

aux graines de lin

Donne: 12 muffins moyens
Préchauffer le four à 200°C (400°F) et préparer les moules.

Dans un grand bol, rassembler et bien mélanger:

Ingrédients	Quantité	
	Métrique	Impérial
Oeuf	2 unités	
Miel	50 mL	1/4 tasse
Cassonade	50 mL	1/4 tasse
Huile	125 mL	1/2 tasse
Babeurre	250 mL	1 tasse
Vanille	5 mL	1 c. à thé

Dans un bol plus petit, bien mélanger:

Ingrédients	Quantité	
	Métrique	Impérial
Farine tout usage, non tamisée	250 mL	1 tasse
Graine de lin moulue	250 mL	1 tasse
Levure chimique (*poudre à pâte*)	5 mL	1 c. à thé
Bicarbonate de soude (*soda à pâte*)	5 mL	1 c. à thé
Sel	1 mL	1/4 c. à thé
Cannelle	5 mL	1 c. à thé
Noix ou pacane hachée	125 mL	1/2 tasse

Incorporer la préparation sèche à la préparation humide et remuer douce-
ment jusqu'à ce qu'elles soient tout juste mélangées. À l'aide d'une cuil-
ler, mettre la pâte dans les moules déjà préparés et décorer le dessus des
muffins d'une moitié de noix ou de pacane. Cuire au four à 200°C
(400°F) pendant 20 minutes. Démouler et laisser refroidir sur une grille.

CONSEIL

On obtient les mêmes effets qu'avec le son ou les pruneaux en utilisant
des graines de lin moulues dans un moulin à café à défaut de moulin à
noix.

au son

Donne: 8 muffins moyens
Préchauffer le four à 190°C (375°F) et préparer les moules.
Dans un grand bol, rassembler et bien mélanger:

Ingrédients	Quantité Métrique	Impérial
Oeuf	2 unités	
Miel	30 mL	2 c. à table
Mélasse	30 mL	2 c. à table
Huile	50 mL	1/4 tasse
Babeurre	250 mL	1 tasse
Datte ou raisin sec haché(e)	125 mL	1/2 tasse

Dans un bol plus petit, bien mélanger:

Ingrédients	Quantité Métrique	Impérial
Son	375 mL	1 1/2 tasse
Germe de blé cru	250 mL	1 tasse
Levure chimique (*poudre à pâte*)	7 mL	1 1/2 c.d à thé
Bicarbonate de soude (*soda à pâte*)	5 mL	1 c. à thé
Noix, pacane ou graine de tournesol hachée	125 mL	1/2 tasse

Incorporer la préparation sèche à la préparation humide et remuer douce-
ment jusqu'à ce qu'elles soient tout juste mélangées. À l'aide d'une cuil-
ler, mettre la pâte dans les moules déjà préparés. Cuire au four à 190°C
(375°F) de 15 à 20 minutes. Démouler et laisser refroidir sur une grille.

CONSEIL

Pour éviter que les morceaux de fruits secs hachés ne restent collés ensemble, les rouler dans un peu de farine. Tenir compte de cette farine
dans votre recette. Si vous avez un robot, ajouter aux fruits secs 50 ou
125 mL (1/4 ou 1/2 tasse) de farine et hacher.

au gingembre et aux noix

Donne: 12 muffins moyens
Préchauffer le four à 200°C (400°F) et préparer les moules.

Dans un grand bol, rassembler et bien mélanger:

Ingrédients	Quantité	
	Métrique	Impérial
Oeuf	2 unités	
Cassonade	125 mL	1/2 tasse
Huile	125 mL	1/2 tasse
Yogourt nature ou babeurre	250 mL	1 tasse

Dans un bol plus petit, bien mélanger:

Ingrédients	Quantité	
	Métrique	Impérial
Farine de blé entier, non tamisée	250 mL	1 tasse
Farine à gâteaux et à pâtisseries	250 mL	1 tasse
Gingembre cristallisé finement haché	8 morceaux	
Levure chimique (*poudre à pâte*)	5 mL	1 c. à thé
Bicarbonate de soude (*soda à pâte*)	5 mL	1 c. à thé
Noix ou pacane hachée	125 mL	1/2 tasse

Incorporer la préparation sèche à la préparation humide et remuer doucement jusqu'à ce qu'elles soient tout juste mélangées. À l'aide d'une cuiller, mettre la pâte dans les moules déjà préparés. Cuire au four à 200°C (400°F) de 20 à 25 minutes. Démouler et laisser refroidir sur une grille.

VARIANTE

au chocolat, au gingembre et aux noix — Remplacer la farine de blé entier et la farine à gâteaux et à pâtisseries par 500 mL (2 tasses) de farine tout usage non tamisée. Dans le malaxeur ou le robot, hacher 125 mL (1/2 tasse) de brisures de chocolat semi-amer pour obtenir des morceaux encore plus petits et les ajouter au mélange sec.

au granola

Donne: 10 gros muffins ou 14 moyens
Préchauffer le four à 200°C (400°F) et préparer les moules.

Dans un grand bol, rassembler et bien mélanger:

Ingrédients	Quantité Métrique	Impérial
Oeuf	2 unités	
Cassonade	50 mL	1/4 tasse
Huile	125 mL	1/2 tasse
Babeurre	250 mL	1 tasse
Vanille	5 mL	1 c. à thé

Dans un bol plus petit, bien mélanger:

Ingrédients	Quantité Métrique	Impérial
Granola	500 mL	2 tasses
Farine tout usage, non tamisée	250 mL	1 tasse
Levure chimique (*poudre à pâte*)	10 mL	2 c. à thé
Bicarbonate de soude (*soda à pâte*)	2 mL	1/2 c. à thé
Sel	2 mL	1/2 c. à thé

Incorporer la préparation sèche à la préparation humide et remuer douce-
ment jusqu'à ce qu'elles soient tout juste mélangées. À l'aide d'une cuil-
ler, mettre la pâte dans les moules déjà préparés et parsemer le sommet
des muffins de granola. Cuire au four à 200°C (400°F) de 15 à 20 minutes. Démouler et laisser refroidir sur une grille.

CONSEIL

On obtient de meilleurs résultats avec de la granola pas trop sucrée dont
les grains se détachent facilement les uns des autres.

à la confiture de pêches

Donne: 12 muffins moyens
Préchauffer le four à 200°C (400°F) et préparer les moules.

Dans un grand bol, rassembler et bien mélanger:

Ingrédients	Quantité Métrique	Impérial
Oeuf	2 unités	
Cassonade	125 mL	1/2 tasse
Beurre ou margarine fondu(e)	125 mL	1/2 tasse
Babeurre	300 mL	1 1/4 tasse
Arôme artificiel d'érable	5 mL	1 c. à thé

Dans un bol plus petit, bien mélanger:

Ingrédients	Quantité Métrique	Impérial
Farine de blé entier, non tamisée	250 mL	1 tasse
Farine à gâteaux et à pâtisseries, non tamisée	250 mL	1 tasse
Levure chimique (*poudre à pâte*)	5 mL	1 c. à thé
Bicarbonate de soude (*soda à pâte*)	5 mL	1 c. à thé
Sel	2 mL	1/2 c. à thé
Glace: confiture de pêches	60 mL	12 c. à thé

Incorporer la préparation sèche à la préparation humide et remuer douce-
ment jusqu'à ce qu'elles soient tout juste mélangées. À l'aide d'une cuil-
ler, mettre la pâte dans les moules déjà préparés (les remplir aux 2/3 seulement). Déposer 5 mL (1 c. à thé) de confiture de pêches sur le dessus
des muffins et l'aplatir doucement avec la cuiller. Cuire au four à 200°C
(400°F) pendant 20 minutes. Démouler et laisser refroidir sur une grille.

VARIANTE

à la confiture de fraises ou de framboises — Remplacer la confiture
de pêches par de la confiture de fraises ou de framboises. Remplacer
l'arôme d'érable par 5 mL (1 c. à thé) de vanille.

au sirop d'érable et à la farine de «premier jet» (Graham flour)

Donne: 10 muffins moyens
Préchauffer le four à 200°C (400°F) et préparer les moules.

Dans un grand bol, rassembler et bien mélanger:

Ingrédients	Quantité Métrique	Impérial
Oeuf	2 unités	
Sirop d'érable	125 mL	1/2 tasse
Huile	125 mL	1/2 tasse
Babeurre	175 mL	3/4 tasse
Arôme artificiel d'érable	2 mL	1/2 c. à thé

Dans un bol plus petit, bien mélanger:

Ingrédients	Quantité Métrique	Impérial
Farine de «premier jet», non tamisée	250 mL	1 tasse
Farine à gâteaux et à pâtisseries, non tamisée	125 mL	1/2 tasse
Levure chimique (*poudre à pâte*)	7 mL	1 1/2 c. à thé
Bicarbonate de soude (*soda à pâte*)	2 mL	1/2 c. à thé
Sel	2 mL	1/2 c. à thé
Pacane hachée	125 mL	1/2 tasse

Incorporer la préparation sèche à la préparation humide et remuer doucement jusqu'à ce qu'elles soient tout juste mélangées. À l'aide d'une cuiller, mettre la pâte dans les moules déjà préparés et décorer le dessus des muffins d'une moitié de pacane. Cuire au four à 200°C (400°F) pendant 20 minutes. Démouler et laisser refroidir sur une grille.

VARIANTE

à la farine de blé entier, au sirop d'érable et aux noix — Remplacer
la farine de «premier jet» par 250 mL (1 tasse) de farine de blé entier non
tamisée. Remplacer les pacanes hachées par 250 mL (1 tasse) de noix hachées.

IDÉE POUR SERVIR

Très bon chaud avec de la confiture d'oranges ou du *beurre à la cannelle*
(*voir* muffin *aux pommes*).

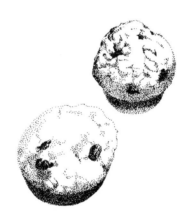

moka aux amandes

Donne: 20 petits muffins ou 10 moyens
Préchauffer le four à 200°C (400°F) et préparer les moules.

Dans un grand bol, rassembler et bien mélanger:

Ingrédients	Quantité Métrique	Impérial
Café soluble (*instantané*) dissous dans 15 mL d'eau (1 c. à table)	10 mL	2 c. à thé
Oeuf	1 unité	
Huile	50 mL	1/4 tasse
Lait	250 mL	1 tasse
Extrait d'orange ou de vanille	5 mL	1 c. à thé

Dans un bol plus petit, bien mélanger:

Ingrédients	Quantité Métrique	Impérial
Farine tout usage, non tamisée	375 mL	1 1/2 tasse
Sucre	125 mL	1/2 tasse
Cacao pur	30 mL	2 c. à table
Levure chimique (*poudre à pâte*)	5 mL	1 c. à thé
Bicarbonate de soude (*soda à pâte*)	2 mL	1/2 c. à thé
Sel	1 mL	1/4 c. à thé
Amande hachée ou en lamelles	125 mL	1/2 tasse

Incorporer la préparation sèche à la préparation humide et remuer douce-
ment jusqu'à ce qu'elles soient tout juste mélangées. À l'aide d'une cuil-
ler, mettre la pâte dans les moules déjà préparés et décorer le dessus des
muffins avec des amandes hachées ou en lamelles. Cuire au four à 200°C
(400°F) pendant 25 minutes. Démouler et laisser refroidir sur une grille.

CONSEIL

Le goût du chocolat est encore meilleur si on utilise du chocolat à cuire, liquide et semi-amer (30 mL) (2 c. à table) (existe en tube) et si on augmente la quantité de farine à 425 mL (1 3/4 tasse).

IDÉE POUR SERVIR

Préparer des petits mokas aux amandes et les servir avec le café après le déjeuner.

à la farine d'avoine et à l'ananas

Donne: 12 muffins moyens
Préchauffer le four à 200°C (400°F) et préparer les moules.

Dans un grand bol, rassembler et bien mélanger:

Ingrédients	Quantité Métrique	Impérial
Oeuf	2 unités	
Cassonade	125 mL	1/2 tasse
Huile	125 mL	1/2 tasse
Lait ou jus d'orange	50 mL	1/4 tasse
Ananas broyé, non sucré, non égoutté	250 mL	1 tasse
Farine d'avoine ordinaire (gruau)	250 mL	1 tasse
Zeste d'orange râpé	5 mL	1 c. à thé

Dans un bol plus petit, bien mélanger:

Ingrédients	Quantité Métrique	Impérial
Farine tout usage, non tamisée	375 mL	1 1/2 tasse
Levure chimique (*poudre à pâte*)	15 mL	1 c. à table
Bicarbonate de soude (*soda à pâte*)	2 mL	1/2 c. à thé
Sel	2 mL	1/2 c. à thé

Incorporer la préparation sèche à la préparation humide et remuer douce-ment jusqu'à ce qu'elles soient tout juste mélangées. À l'aide d'une cuil-ler, mettre la pâte dans les moules déjà préparés. Cuire au four à 200°C (400°F) de 20 à 25 minutes. Démouler et laisser refroidir sur une grille.

VARIANTE

à la farine d'avoine et aux pommes — Remplacer l'ananas par 250 mL (1 tasse) de pomme râpée. Ajouter 125 mL (1/2 tasse) de raisins secs.

CONSEIL

Ce muffin est meilleur quand il est complètement refroidi. Se congèle bien.

à la farine d'avoine
et à la noix de coco

Donne: 14 muffins moyens
Préchauffer le four à 200°C (400°F) et préparer les moules.
Mélanger et laisser refroidir:

Ingrédients	Quantité Métrique	Impérial
Farine d'avoine ordinaire (gruau)	250 mL	1 tasse
Eau bouillante	250 mL	1 tasse
Beurre ou margarine	125 mL	1/2 tasse

Dans un grand bol, rassembler et bien mélanger:

Ingrédients	Quantité Métrique	Impérial
Oeuf	2 unités	
Cassonade	175 mL	3/4 tasse
Mélange aux flocons d'avoine (*voir* ci-dessus)	tel qu'indiqué	
Vanille	5 mL	1 c. à thé

Dans un bol plus petit, bien mélanger:

Ingrédients	Quantité Métrique	Impérial
Farine tout usage, non tamisée	250 mL	1 tasse
Germe de blé cru	125 mL	1/2 tasse
Noix de coco sèche, non sucrée	250 mL	1 tasse
Levure chimique (*poudre à pâte*)	15 mL	1 c. à table
Bicarbonate de soude (*soda à pâte*)	2 mL	1/2 c. à table
Sel	2 mL	1/2 c. à table

Incorporer la préparation sèche à la préparation humide et remuer douce-
ment jusqu'à ce qu'elles soient tout juste mélangées. À l'aide d'une cuil-
ler, mettre la pâte dans les moules déjà préparés. Cuire au four à 200°C
(400°F) de 20 à 25 minutes. Démouler et laisser refroidir sur une grille.

CONSEIL

On peut utiliser de la noix de coco râpée sucrée; il faut alors mettre moins
de sucre (125 mL) (1/2 tasse) et davantage de farine (300 mL) (1 1/4 tasse).

à la farine d'avoine et aux pruneaux

Donne: 12 gros muffins ou 15 moyens
Préchauffer le four à 200°C (400°F) et préparer les moules.

Dans un grand bol, rassembler et bien mélanger:

Ingrédients	Quantité Métrique	Impérial
Oeuf	2 unités	
Huile	50 mL	1/4 tasse
Lait	250 mL	1 tasse
Vanille	5 mL	1 c. à thé
Pruneau haché, dénoyauté	250 mL	1 tasse

Dans un bol plus petit, bien mélanger:

Ingrédients	Quantité Métrique	Impérial
Farine à gâteaux et à pâtisseries, non tamisée	500 mL	2 tasses
Farine d'avoine ordinaire (gruau)	250 mL	1 tasse
Sucre	175 mL	3/4 tasse
Levure chimique (*poudre à pâte*)	15 mL	1 c. à table
Sel	3 mL	3/4 c. à thé

Incorporer la préparation sèche à la préparation humide et remuer doucement jusqu'à ce qu'elles soient tout juste mélangées. À l'aide d'une cuiller, mettre la pâte dans les moules déjà préparés. Cuire au four à 200°C (400°F) pendant 15 minutes. Démouler et laisser refroidir sur une grille.

VARIANTE

à la farine d'avoine et aux figues — Remplacer les pruneaux par 125 mL (1/2 tasse) de figues violettes sèches. Ajouter 125 mL (1/2 tasse) de noix ou de pacanes hachées.

CONSEIL

La pâte est absolument blanche et très consistante. Le muffin, une fois cuit, est de couleur très claire.

à l'orange

Donne: 12 muffins moyens
Préchauffer le four à 200°C (400°F) et préparer les moules.

Dans le robot ou le malaxeur, réduire en purée:

Ingrédients	Quantité Métrique	Impérial
Orange entière, avec le zeste	**1 unité**	

Dans un grand bol, rassembler et bien mélanger:

Ingrédients	Quantité Métrique	Impérial
Oeuf	**1 unité**	
Cassonade	125 mL	1/2 tasse
Purée d'orange		
(*voir* ci-dessus)	tel qu'indiqué	
Huile	125 mL	1/2 tasse
Jus d'orange	125 mL	1/2 tasse
Figue violette hachée	50 mL	1/4 tasse
Datte hachée	50 mL	1/4 tasse

Dans un bol plus petit, bien mélanger:

Ingrédients	Quantité Métrique	Impérial
Farine tout usage,		
non tamisée	125 mL	1/2 tasse
Germe de blé	125 mL	1/2 tasse
Son	125 mL	1/2 tasse
Levure chimique		
(*poudre à pâte*)	5 mL	1 c. à thé
Bicarbonate de soude		
(*soda à pâte*)	5 mL	1 c. à thé
Sel	1 mL	1/4 c. à thé

Incorporer la préparation sèche à la préparation humide et remuer douce-ment jusqu'à ce qu'elles soient tout juste mélangées. À l'aide d'une cuiller, mettre la pâte dans les moules déjà préparés. Cuire au four à 200°C (400°F) de 15 à 20 minutes. Démouler et laisser refroidir sur une grille.

brioché à l'orange

Donne: 8 muffins moyens
Préchauffer le four à 190°C (375°F) et préparer les moules.
Dans un grand bol, faire une crème au mélangeur électrique:

Ingrédients	Quantité Métrique		Impérial
Matière grasse	50 mL		1/4 tasse
Beurre	30 mL		2 c. à table
Sucre	125 mL		1/2 tasse
Oeuf		2 unités	
Zeste d'orange, râpé	environ 22 mL	1 orange	1 1/2 c. à table

Dans un bol plus petit, bien mélanger:

Ingrédients	Quantité Métrique	Impérial
Farine à gâteaux et à pâtisseries, non tamisée	375 mL	1 1/2 tasse
Levure chimique (*poudre à pâte*)	7 mL	1 1/2 c. à thé
Bicarbonate de soude (*soda à pâte*)	2 mL	1/2 c. à thé
Sel	2 mL	1/2 c. à thé
Muscade	1 mL	1/4 c. à thé

Incorporer au mélange crémeux en alternant avec:

Ingrédients	Quantité Métrique	Impérial
Lait	125 mL	1/2 tasse

À l'aide d'une cuiller, mettre la pâte dans les moules déjà préparés. Cuire au four à 190°C (375°F) de 20 à 25 minutes. Démouler et laisser refroidir sur une grille.

VARIANTE

brioché nature — Ne pas mettre de zeste d'orange et remplacer par 2 mL (1/2 c. à thé) d'extrait de vanille.

IDÉE POUR SERVIR

La confiture d'oranges ou de citrons accompagne bien l'un ou l'autre mais le muffin *brioché nature* est particulièrement savoureux avec une *glace au sucre à la cannelle* (*voir* muffin *aux pommes et à la cannelle*).

au beurre d'arachide et au son

Donne: 10 muffins moyens
Préchauffer le four à 200°C (400°F) et préparer les moules.

Dans un grand bol, faire une crème au mélangeur électrique:

Ingrédients	Quantité Métrique	Impérial
Oeuf	1 unité	
Cassonade	125 mL	1/2 tasse
Beurre	50 mL	1/4 tasse
Beurre d'arachide crémeux		
ou croustillant	125 mL	1/2 tasse

Ajouter ensuite:

Ingrédients	Quantité Métrique	Impérial
Céréale All-Bran	250 mL	1 tasse
Lait	250 mL	1 tasse

Dans un bol plus petit, bien mélanger:

Ingrédients	Quantité Métrique	Impérial
Farine tout usage,		
non tamisée	250 mL	1 tasse
Levure chimique		
(*poudre à pâte*)	15 mL	1 c. à table
Bicarbonate de soude		
(*soda à pâte*)	1 mL	1/4 c. à thé
Sel	2 mL	1/2 c. à thé

Incorporer la préparation sèche à la préparation humide et remuer douce-
ment jusqu'à ce qu'elles soient tout juste mélangées. À l'aide d'une cuil-
ler, mettre la pâte dans les moules déjà préparés. Cuire au four à 200°C
(400°F) de 20 à 25 minutes. Démouler et laisser refroidir sur une grille.

CONSEIL

Avec du beurre d'arachide crémeux, c'est un bon muffin pour les tout-
petits.

à l'ananas, aux abricots et aux noix

Donne: 15 muffins moyens
Préchauffer le four à 190°C (375°F) et préparer les moules.

Dans un grand bol, rassembler et bien mélanger:

Ingrédients	Quantité Métrique	Impérial
Oeuf	4 unités	
Sucre	175 mL	3/4 tasse
Huile	250 mL	1 tasse
Ananas broyé, non sucré, non égoutté	250 mL	1 tasse
Abricot sec, finement haché	175 mL	3/4 tasse
Zeste de citron, râpé	15 mL	1 c. à table

Dans un bol plus petit, bien mélanger:

Ingrédients	Quantité Métrique	Impérial
Farine tout usage, non tamisée	500 mL	2 tasses
Levure chimique (*poudre à pâte*)	15 mL	1 c. à table
Bicarbonate de soude (*soda à pâte*)	2 mL	1/2 c. à thé
Sel	2 mL	1/2 c. à thé
Noix, pacane ou amande hachée	125 mL	1/2 tasse

Incorporer la préparation sèche à la préparation humide et remuer douce-ment jusqu'à ce qu'elles soient tout juste mélangées. À l'aide d'une cuiller, mettre la pâte dans les moules déjà préparés et décorer le dessus des muffins d'une moitié de noix ou d'un morceau d'abricot. Cuire au four à 190°C (375°F) de 25 à 30 minutes. Démouler et laisser refroidir sur une grille.

VARIANTES

à l'ananas, aux abricots et à la noix de coco — Remplacer les noix par 125 mL (1/2 tasse) de noix de coco râpée.

à l'ananas et aux carottes — Remplacer les abricots secs par 250 mL (1 tasse) de carottes râpées. Ajouter 1 mL (1/4 c. à thé) de piment de la Jamaïque (*allspice*) au mélange sec.

à l'ananas, aux carottes et à l'orange — Remplacer le citron par le zeste d'une orange râpé (22 mL) (environ 1 1/2 c. à table) dans la variante *à l'ananas et aux carottes*.

à l'ananas et au fromage cottage

Donne: 12 muffins moyens
Préchauffer le four à 200°C (400°F) et préparer les moules.
Dans un grand bol, rassembler et bien mélanger:

Ingrédients	Quantité Métrique	Impérial
Oeuf	4 unités	
Cassonade	75 mL	1/3 tasse
Huile	125 mL	1/2 tasse
Fromage cottage en crème	250 mL	1 tasse
Ananas broyé, non égoutté	250 mL	1 tasse
Vanille	5 mL	1 c. à thé

Dans un bol plus petit, bien mélanger:

Ingrédients	Quantité Métrique	Impérial
Farine de blé entier, non tamisée	250 mL	1 tasse
Farine à gâteaux et à pâtisseries, tamisée	250 mL	1 tasse
Levure chimique (*poudre à pâte*)	15 mL	1 c. à table
Bicarbonate de soude (*soda à pâte*)	2 mL	1/2 c. à thé
Sel	1 mL	1/4 c. à thé
Muscade	1 mL	1/4 c. à thé

Incorporer la préparation sèche à la préparation humide et remuer douce-
ment jusqu'à ce qu'elles soient tout juste mélangées. À l'aide d'une cuil-
ler, mettre la pâte dans les moules déjà préparés. Cuire au four à 200°C
(400°F) pendant 20 minutes. Démouler et laisser refroidir sur une grille.

VARIANTE

à la macédoine de fruits et au fromage cottage — Remplacer l'ananas écrasé par 250 mL (1 tasse) de macédoine de fruits bien égouttée (1
boîte de 398 mL ou 14 oz).

IDÉE POUR SERVIR

Voilà un bon muffin qui accompagne bien une macédoine de fruits, de
melon ou d'avocat au déjeuner.

à la citrouille

Donne: 12 muffins moyens
Préchauffer le four à 200°C (400°F) et préparer les moules.

Dans un grand bol, rassembler et bien mélanger:

Ingrédients	Quantité Métrique	Impérial
Oeuf	1 unité	
Cassonade	150 mL	2/3 tasse
Beurre ou margarine, fondu(e)	75 mL	1/3 tasse
Lait	175 mL	3/4 tasse
Citrouille en conserve	175 mL	3/4 tasse
Raisin sec	125 mL	1/2 tasse

Dans un bol plus petit, bien mélanger:

Ingrédients	Quantité Métrique	Impérial
Farine tout usage, non tamisée	500 mL	2 tasses
Levure chimique (*poudre à pâte*)	10 mL	2 c. à thé
Bicarbonate de soude (*soda à pâte*)	2 mL	1/2 c. à thé
Sel	2 mL	1/2 c. à thé
Cannelle	2 mL	1/2 c. à thé
Muscade	2 mL	1/2 c. à thé
Gingembre en poudre	1 mL	1/4 c. à thé

Incorporer la préparation sèche à la préparation humide et remuer douce-ment jusqu'à ce qu'elles soient tout juste mélangées. À l'aide d'une cuil-ler, mettre la pâte dans les moules déjà préparés. Cuire au four à 200°C (400°F) de 20 à 25 minutes. Démouler et laisser refroidir sur une grille.

VARIANTE

Ajouter des graines de citrouille à la pâte et en parsemer le dessus des muffins.

IDÉE POUR SERVIR

Essayer ces muffins avec de la *crème à tartiner à l'orange*. Préparer un *beurre d'orange* (*voir* muffin *au citron et à l'orange*); battre ensemble autant de crème à tartiner que de *beurre d'orange* jusqu'à l'obtention d'un mélange léger et onctueux.

à la citrouille et à l'orange

Donne: 12 muffins moyens
Préchauffer le four à 200°C (400°F) et préparer les moules.

Dans un grand bol, rassembler et bien mélanger:

Ingrédients	Quantité	
	Métrique	Impérial
Oeuf	2 unités	
Sucre	175 mL	3/4 tasse
Huile	50 mL	1/4 tasse
Jus de pomme ou cidre	125 mL	1/2 tasse
Citrouille en conserve	250 mL	1 tasse
Zeste d'orange râpé	environ 22 mL	1 1/2 c. à table

Dans un bol plus petit, bien mélanger:

Ingrédients	Quantité	
	Métrique	Impérial
Farine tout usage, non tamisée	500 mL	2 tasses
Levure chimique (*poudre à pâte*)	15 mL	1 c. à table
Bicarbonate de soude (*soda à pâte*)	2 mL	1/2 c. à thé
Sel	2 mL	1/2 c. à thé
Cannelle	1 mL	1/4 c. à thé
Macis	1 mL	1/4 c. à thé
Clou de girofle moulu	0,5 mL	1/8 c. à thé
Noix ou pacane hachée	125 mL	1/2 tasse

Incorporer la préparation sèche à la préparation humide et remuer doucement jusqu'à ce qu'elles soient tout juste mélangées. À l'aide d'une cuiller, mettre la pâte dans les moules déjà préparés et décorer le dessus des muffins d'une moitié de noix ou de pacane. Cuire au four à 200°C (400°F) de 20 à 25 minutes. Démouler et laisser refroidir sur une grille.

à la rhubarbe et à la cannelle

Donne: 12 muffins moyens
Préchauffer le four à 190°C (375°F) et préparer les moules.
Dans un grand bol, rassembler et bien mélanger:

Ingrédients	Quantité Métrique	Quantité Impérial
Oeuf	2 unités	
Sucre	250 mL	1 tasse
Huile	50 mL	1/4 tasse
Yogourt nature ou babeurre	125 mL	1/2 tasse
Vanille	5 mL	1 c. à thé
Rhubarbe fraîche hachée, légèrement tassée	425 mL	1 3/4 tasse

Dans un bol plus petit, bien mélanger:

Ingrédients	Quantité Métrique	Quantité Impérial
Farine tout usage, non tamisée	500 mL	2 tasses
Levure chimique (*poudre à pâte*)	10 mL	2 c. à thé
Bicarbonate de soude (*soda à pâte*)	2 mL	1/2 c. à thé
Sel	2 mL	1/2 c. à thé
Cannelle	1 mL	1/4 c. à thé

Incorporer la préparation sèche à la préparation humide et remuer douce-
ment jusqu'à ce qu'elles soient tout juste mélangées. À l'aide d'une cuil-
ler, mettre la pâte dans les moules déjà préparés. Cuire au four à 190°C
(375°F) pendant 25 minutes. Démouler et laisser refroidir sur une grille.

VARIANTE

à la rhubarbe et à l'orange — Ajouter 5 mL (1 c. à thé) de zeste d'orange râpé. Remplacer la cannelle par 1 mL (1/4 c. à thé) de macis.

CONSEIL

Utiliser exclusivement de la rhubarbe fraîche; la rhubarbe congelée est souvent filandreuse et alourdit la pâte.

IDÉE POUR SERVIR

Servir chaud avec des fruits cuits et du *beurre à la cannelle* (*voir* muffin *aux pommes*), ou bien tremper le dessus des muffins dans du beurre fondu avec du *sucre à l'orange* (*voir* muffin *au citron et à l'orange*).

au riz

Donne: 12 muffins moyens
Préchauffer le four à 200°C (400°F) et préparer les moules.

Dans un grand bol, rassembler et bien mélanger:

Ingrédients	Quantité Métrique	Impérial
Oeuf	1 unité	
Miel	50 mL	1/4 tasse
Huile	30 mL	2 c. à table
Lait	125 mL	1/2 tasse
Vanille	5 mL	1 c. à thé
Riz cuit, légèrement tassé	250 mL	1 tasse

Dans un bol plus petit, bien mélanger:

Ingrédients	Quantité Métrique	Impérial
Farine tout usage, non tamisée	250 mL	1 tasse
Levure chimique (*poudre à pâte*)	15 mL	1 c. à table
Bicarbonate de soude (*soda à pâte*)	2 mL	1/2 c. à thé
Sel	2 mL	1/2 c. à thé

Incorporer la préparation sèche à la préparation humide et remuer douce-ment jusqu'à ce qu'elles soient tout juste mélangées. À l'aide d'une cuil-ler, mettre la pâte dans les moules déjà préparés et décorer le dessus des muffins d'une moitié de noix ou de pacane. Cuire au four à 200°C (400°F) de 15 à 20 minutes. Démouler et laisser refroidir sur une grille.

VARIANTE

au riz brun — Remplacer le riz blanc par du riz brun cuit.

CONSEIL

Les muffins au riz sont meilleurs frais car le riz sèche quand il est conge-lé.

IDÉE POUR SERVIR

Délicieux pour accompagner la salade de poulet ou les tomates farcies froides au déjeuner. Au petit déjeuner, servir avec une glace *aux pommes et à la cannelle*: on doit découper une pomme en tranches fines que l'on passe dans le sucre. On dépose ensuite deux ou trois tranches de pommes sur le dessus des muffins avant de les mettre au four.

marbré

Donne: 12 gros muffins ou 16 moyens
Préchauffer le four à 190°C (375°F) et préparer les moules.

Dans un grand bol, rassembler et bien mélanger:

Ingrédients	Quantité Métrique		Impérial
Oeuf		4 unités	
Sucre	250 mL		1 tasse
Huile	250 mL		1 tasse
Jus de pomme	50 mL		1/4 tasse
Carotte râpée, moyenne, légèrement tassée	500 mL	4 unités	2 tasses
Noix de coco râpée, sucrée	125 mL		1/2 tasse
Raisin de Corinthe ou raisin sec	125 mL		1/2 tasse
Vanille	10 mL		2 c. à thé

Dans un bol plus petit, bien mélanger:

Ingrédients	Quantité Métrique	Impérial
Farine tout usage	500 mL	2 tasses
Levure chimique (*poudre à pâte*)	15 mL	1 c. à table
Bicarbonate de soude (*soda à pâte*)	5 mL	1 c. à thé
Cannelle	5 mL	1 c. à thé
Sel	2 mL	1/2 c. à thé
Noix ou pacane hachée	125 mL	1/2 tasse

Incorporer la préparation sèche à la préparation humide et remuer douce-
ment jusqu'à ce qu'elles soient tout juste mélangées. À l'aide d'une cuil-
ler, mettre la pâte dans les moules déjà préparés et décorer le dessus des
muffins d'une moitié de noix ou de pacane. Cuire au four à 190°C
(375°F) de 25 à 30 minutes. Démouler et laisser refroidir sur une grille.

VARIANTE

Ne pas mettre de noix ou de pacanes hachées. Remplacer par des graines de citrouille grillées ou des graines de tournesol crues. Parsemer de graines le dessus des muffins.

au rhum et aux raisins secs

Donne: 8 muffins moyens
Préchauffer le four à 200°C (400°F) et préparer les moules.

Dans un grand bol, rassembler et bien mélanger:

Ingrédients	Quantité Métrique	Impérial
Oeuf	1 unité	
Sucre	75 mL	1/3 tasse
Beurre fondu	125 mL	1/2 tasse
Lait	125 mL	1/2 tasse
Rhum clair	50 mL	1/4 tasse
Vanille	5 mL	1 c. à thé
Raisin sec	125 mL	1/2 tasse

Dans un bol plus petit, bien mélanger:

Ingrédients	Quantité Métrique	Impérial
Farine à gâteaux et à pâtisseries, non tamisée	425 mL	1 3/4 tasse
Levure chimique (*poudre à pâte*)	7 mL	1 1/2 c. à thé
Bicarbonate de soude (*soda à pâte*)	2 mL	1/2 c. à thé
Sel	1 mL	1/4 c. à thé
Muscade	1 mL	1/4 c. à thé

Incorporer la préparation sèche à la préparation humide et remuer douce-ment jusqu'à ce qu'elles soient tout juste mélangées. À l'aide d'une cuil-ler, mettre la pâte dans les moules déjà préparés. Cuire au four à 200°C (400°F) pendant 20 minutes. Démouler et laisser refroidir sur une grille.

VARIANTE

au rhum et au lait de poule — Remplacer le lait par 125 mL (1/2 tasse) de lait de poule vendu dans le commerce ou fait à la maison, ou bien dis-soudre 50 mL (3 c. à table) de cristaux de lait de poule dans 125 mL (1/2 tasse) de lait.

CONSEIL

On peut remplacer la vanille par 5 mL (1 c. à thé) d'arôme artificiel de rhum. Dans ce cas, ne pas mettre de rhum et augmenter la quantité de lait à 175 mL (3/4 tasse).

aux graines de sésame

Donne: 12 muffins moyens
Préchauffer le four à 200°C (400°F) et préparer les moules.
Dans un grand bol, rassembler et bien mélanger:

Ingrédients	Quantité Métrique	Quantité Impérial
Oeuf	2 unités	
Miel	125 mL	1/2 tasse
Huile	50 mL	1/4 tasse
Lait	150 mL	2/3 tasse
Extrait de vanille	5 mL	1 c. à thé
ou extrait d'amande	2 mL	1/2 c. à thé

Dans un bol plus petit, bien mélanger:

Ingrédients	Quantité Métrique	Quantité Impérial
Farine à gâteaux et à pâtisseries, non tamisée	250 mL	1 tasse
Graine de sésame moulue	250 mL	1 tasse
Levure chimique (*poudre à pâte*)	7 mL	1 1/2 c. à thé
Bicarbonate de soude (*soda à pâte*)	2 mL	1/2 c. à thé
Sel	2 mL	1/2 c. à thé
Graine de sésame, crue	150 mL	2/3 tasse

Incorporer la préparation sèche à la préparation humide et remuer douce-
ment jusqu'à ce qu'elles soient tout juste mélangées. À l'aide d'une cuil-
ler, mettre la pâte dans les moules déjà préparés. Cuire au four à 200°C
(400°F) de 20 à 25 minutes. Démouler et laisser refroidir sur une grille.

VARIANTES

aux graines de tournesol — Remplacer les graines de sésame moulues
par 250 mL (1 tasse) de graines de tournesol moulues et les graines de
sésame par 125 mL (1/2 tasse) de graines de tournesol.

aux graines de tournesol ou de sésame et aux dattes — Ne mettre que 50 mL (1/4 tasse) de miel. Ajouter 125 mL (1/2 tasse) de dattes finement hachées au mélange humide.

IDÉE POUR SERVIR

Préparer du *beurre au miel et à l'orange* — Battre 125 mL (1/2 tasse) de beurre non salé avec 125 mL (1/2 tasse) de miel et le zeste râpé d'une orange (environ 22 mL (1 1/2 c. à table)). On peut alors réduire, si on le désire, la quantité de miel à 50 mL (1/4 tasse) pour la pâte à muffin.

au germe de blé grillé et au sésame

Donne: 10 muffins moyens
Préchauffer le four à 200°C (400°F) et préparer les moules.

Dans un grand bol, rassembler et bien mélanger:

Ingrédients	Quantité Métrique	Impérial
Oeuf	2 unités	
Cassonade	125 mL	1/2 tasse
Huile	125 mL	1/2 tasse
Arôme artificiel de vanille	5 mL	1 c. à thé
ou d'érable	2 mL	1/2 c. à thé

Dans un bol plus petit, bien mélanger:

Ingrédients	Quantité Métrique	Impérial
Farine à gâteaux et à pâtisseries, non tamisée	250 mL	1 tasse
Germe de blé grillé	250 mL	1 tasse
Levure chimique (*poudre à pâte*)	10 mL	2 c. à thé
Bicarbonate de soude (*soda à pâte*)	2 mL	1/2 c. à thé
Sel	2 mL	1/2 c. à thé
Graine de sésame, crue	50 mL	1/4 tasse

Incorporer la préparation sèche à la préparation humide et remuer douce-
ment jusqu'à ce qu'elles soient tout juste mélangées. À l'aide d'une cuil-
ler, mettre la pâte dans les moules déjà préparés. Cuire au four à 200°C
(400°F) de 20 à 25 minutes. Démouler et laisser refroidir sur une grille.

VARIANTE
aux biscuits Graham — Ne pas mettre de graines de sésame et remplacer le germe de blé grillé par des biscuits Graham en miettes. Réduire la
quantité de cassonade à 50 mL (1/4 tasse).

IDÉE POUR SERVIR
Préparer de la *crème à tartiner au citron ou à l'orange* — *voir* muffin *au
citron et aux courgettes* ou muffin *à la citrouille.*

au son et après six semaines de réfrigération

Donne: 48 muffins moyens
Préchauffer le four à 190°C (375°F) et préparer les moules.

Mélanger et laisser refroidir:

Ingrédients	Quantité	
	Métrique	Impérial
Flocon de son 100%	500 mL	2 tasses
Eau bouillante	500 mL	2 tasses

Dans un grand bol, faire une crème au mélangeur électrique:

Ingrédients	Quantité	
	Métrique	Impérial
Margarine	500 mL	2 tasses
Cassonade ou sucre blanc	500 mL	2 tasses
Oeuf	5 unités	

Dans un bol plus petit, bien mélanger:

Ingrédients	Quantité	
	Métrique	Impérial
Farine tout usage, non tamisée	1,250 L	5 tasses
Bicarbonate de soude (*soda à pâte*)	30 mL	2 c. à table
Sel	2 mL	1/2 c. à thé

Incorporer au mélange crémeux en alternant avec:

Ingrédients	Quantité	
	Métrique	Impérial
Babeurre	1 L	1 pinte

Mélanger doucement:

Ingrédients	Quantité	
	Métrique	Impérial
Mélange au son *(voir* ci-dessus)	tel qu'indiqué	
Céréale All-Bran ou Bran Buds	1 L	4 tasses

Prendre une portion de pâte et la rouler dans une quantité au choix de fruits secs ou de noix. À l'aide d'une cuiller, mettre cette pâte dans les moules déjà préparés. Cuire au four à 190°C (375°F) pendant 20 minutes. Laisser refroidir quelques minutes pour démouler plus facilement. Démouler et laisser refroidir sur une grille.

au son et à la farine d'avoine — Remplacer la céréale All-Bran ou Bran Buds par 1 L (4 tasses) de farine d'avoine à cuisson rapide ou ordinaire.

au son et à la céréale Grape Nut — Remplacer les flocons de son par 500 mL (2 tasses) de flocons Grape Nut.

au son et à la mélasse — Remplacer le sucre par 125 mL (1/2 tasse) de mélasse et 375 mL (1 1/2 tasse) de cassonade.

CONSEIL

Conserver la pâte dans des récipients hermétiques au réfrigérateur et la rouler dans les fruits et les noix juste avant de la cuire.

à la crème sure et au café

Donne: 12 muffins moyens
Préchauffer le four à 190°C (375°F) et préparer les moules.

Préparer une garniture en frottant ensemble:

Ingrédients	Quantité Métrique	Impérial
Cassonade	50 mL	1/4 tasse
Noix ou pacane,		
finement hachée	50 mL	1/4 tasse
Cannelle	2 mL	1/2 c. à thé

Dans un grand bol, faire une crème au mélangeur électrique:

Ingrédients	Quantité Métrique		Impérial
Beurre	125 mL		1/2 tasse
Sucre	125 mL		1/2 tasse
Oeuf		2 unités	

Ajouter et bien mélanger:

Ingrédients	Quantité Métrique	Impérial
Crème sure	250 mL	1 tasse
Vanille	5 mL	1 c. à thé

Dans un bol plus petit, bien mélanger:

Ingrédients	Quantité Métrique	Impérial
Farine tout usage,		
non tamisée	500 mL	2 tasses
Levure chimique		
(*poudre à pâte*)	5 mL	1 c. à thé
Bicarbonate de soude		
(*soda à pâte*)	5 mL	1 c. à thé
Sel	1 mL	1/4 c. à thé

Mettre 15 mL (1 c. à table) de pâte dans chaque moule. Déposer 5 mL (1 c. à table) de garniture au centre des muffins. Recouvrir de 15 mL (1 c. à table) de pâte. Décorer le dessus des muffins avec le reste de garniture. Cuire au four à 190°C (375°F) pendant 25 minutes. Démouler et laisser refroidir sur une grille.

CONSEIL

À ceux qui surveillent leurs calories — Remplacer la crème sure par du yogourt nature sans matières grasses.

aux patates douces

Donne: **15 muffins moyens**
Préchauffer le four à **200°C (400°F)** et préparer les moules.

Préparer une purée de patates douces:
Égoutter 1 boîte de 398 mL (14 oz) de patates douces et réduire en purée dans le malaxeur ou le robot. Mettre de côté.

Dans un grand bol, rassembler et bien mélanger:

Ingrédients	Quantité	
	Métrique	Impérial
Oeuf		3 unités
Cassonade, légèrement tassée	150 mL	2/3 tasse
Beurre ou margarine, fondu(e)	125 mL	1/2 tasse
Purée de patates douces		
(*voir* ci-dessus)	300 mL	1 1/4 tasse
Lait	125 mL	1/2 tasse
Vanille	5 mL	1/2 c. à thé

Dans un bol plus petit, bien mélanger:

Ingrédients	Quantité	
	Métrique	Impérial
Farine tout usage,		
non tamisée	500 mL	2 tasses
Levure chimique		
(*poudre à pâte*)	10 mL	2 c. à thé
Bicarbonate de soude		
(*soda à pâte*)	2 mL	1/2 c. à thé
Sel	2 mL	1/2 c. à thé
Muscade	1 mL	1/4 c. à thé
Clou de girofle moulu		une pincée
Noix ou pacane hachée	125 mL	1/2 tasse

Incorporer la préparation sèche à la préparation humide et remuer doucement jusqu'à ce qu'elles soient tout juste mélangées. À l'aide d'une cuiller, mettre la pâte dans les moules déjà préparés et décorer le dessus des muffins d'une moitié de noix ou de pacane. Cuire au four à 200°C (400°F) pendant 20 minutes. Démouler et laisser refroidir sur une grille.

VARIANTE

aux patates douces et à l'orange — Remplacer la vanille par le zeste râpé d'une orange (environ 22 mL ou 1 1/2 c. à table).

IDÉE POUR SERVIR

Servir à la place des petits pains lors d'un repas-buffet ou d'un barbecue. Essayer avec du jambon, des côtelettes de porc ou des saucisses.

On peut également préparer une *glace à la guimauve fondue*: juste 5 minutes avant que la cuisson ne soit terminée, déposer un gros morceau de guimauve sur le dessus des muffins. Remettre au four pendant 5 minutes.

à douze grains

Donne: 12 muffins moyens
Préchauffer le four à 200°C (400°F) et préparer les moules.

Mélanger et laisser refroidir:

Ingrédients	Quantité Métrique	Impérial
Céréale à douze grains	175 mL	3/4 tasse
Eau bouillante	375 mL	1 1/2 tasse
Café soluble (*instantané*) (facultatif)	5 mL	1 c. à thé

Dans un grand bol, rassembler et bien mélanger:

Ingrédients	Quantité Métrique	Impérial
Oeuf	1 unité	
Cassonade	50 mL	1/4 tasse
Huile	125 mL	1/2 tasse
Mélange à douze grains (*voir* ci-dessus)	tel qu'indiqué	
Arôme artificiel de vanille ou d'érable	5 mL	1 c. à thé
Datte hachée	175 mL	3/4 tasse

Dans un bol plus petit, bien mélanger:

Ingrédients	Quantité Métrique	Impérial
Farine à gâteaux et à pâtisseries, non tamisée	375 mL	1 1/2 tasse
Levure chimique (*poudre à pâte*)	10 mL	2 c. à thé
Bicarbonate de soude (*soda à pâte*)	2 mL	1/2 c. à thé
Sel	2 mL	1/2 c. à thé

Incorporer la préparation sèche à la préparation humide et remuer douce-
ment jusqu'à ce qu'elles soient tout juste mélangées. À l'aide d'une cuil-
ler, mettre la pâte dans les moules déjà préparés. Cuire au four à 200°C
(400°F) de 20 à 25 minutes. Démouler et laisser refroidir sur une grille.

VARIANTE

au blé concassé — Remplacer la céréale à douze grains par 175 mL (3/4
tasse) de blé concassé.

CONSEIL

Les douze grains en question sont du blé concassé, de la farine de seigle,
de la semoule de maïs, des flocons d'avoine, du gruau d'orge, des graines de tournesol, des graines de sésame, du gruau de sarrasin, des graines de lin, du millet, de la farine de riz et de la farine de soja. Il existe également une céréale à six grains que vous pouvez utiliser en remplace-
ment.

au blé entier

Donne: 10 muffins
Préchauffer le four à 190°C (375°F) et préparer les moules.
Dans un grand bol, rassembler et bien mélanger:

Ingrédients	Quantité	
	Métrique	Impérial
Oeuf	2 unités	
Miel	50 mL	1/4 tasse
Huile	125 mL	1/2 tasse
Lait	175 mL	3/4 tasse
Vanille	5 mL	1 c. à thé

Dans un bol plus petit, bien mélanger:

Ingrédients	Quantité	
	Métrique	Impérial
Farine de blé entier, non tamisée	250 mL	1 tasse
Farine à gâteaux et à pâtisseries, non tamisée	125 mL	1/2 tasse
Levure chimique (*poudre à pâte*)	7 mL	1 1/2 c. à thé
Bicarbonate de soude (*soda à pâte*)	2 mL	1/2 c. à thé
Sel	2 mL	1/2 c. à thé

Incorporer la préparation sèche à la préparation humide et remuer douce-ment jusqu'à ce qu'elles soient tout juste mélangées. À l'aide d'une cuil-ler, mettre la pâte dans les moules déjà préparés. Cuire au four à 190°C (375°F) de 20 à 25 minutes.

VARIANTE

au blé entier et à la mélasse — Remplacer 50 mL (1/4 tasse) de miel par 30 mL (2 c. à table) de mélasse et 30 mL (2 c. à table) de miel.

IDÉE POUR SERVIR

Préparer une *crème à tartiner aux graines de tournesol* — Battre ensemble jusqu'à l'obtention d'une crème onctueuse et légère 250 mL (1 tasse) de graines de tournesol crues moulues, 50 mL (1/4 tasse) de beurre d'arachide, 30 mL (2 c. à table) d'huile de tournesol et 1 mL (1/4 c. à thé) de sel épicé.

au blé entier, aux canneberges et à l'orange

Donne: 24 petits muffins ou 12 moyens
Préchauffer le four à 200°C (400°F) et préparer les moules.
Dans un grand bol, rassembler et bien mélanger:

Ingrédients	Quantité Métrique	Impérial
Oeuf	2 unités	
Cassonade	125 mL	1/2 tasse
Huile	125 mL	1/2 tasse
Lait	250 mL	1 tasse
Zeste d'orange, râpé	environ 30 mL	2 c. à table

Dans un bol plus petit, bien mélanger:

Ingrédients	Quantité Métrique	Impérial
Farine de blé entier, non tamisée	500 mL	2 tasses
Levure chimique (*poudre à pâte*)	15 mL	1 c. à table
Bicarbonate de soude (*soda à pâte*)	2 mL	1/2 c. à thé
Sel	2 mL	1/2 c. à thé
Canneberge fraîche ou congelée, hachée	375 mL	1 1/2 tasse

Incorporer la préparation sèche à la préparation humide et remuer doucement jusqu'à ce qu'elles soient tout juste mélangées. À l'aide d'une cuiller, mettre la pâte dans les moules déjà préparés. Cuire au four à 200°C (400°F) de 20 à 25 minutes. Démouler et laisser refroidir sur une grille.

VARIANTES

au blé entier, aux bleuets et à l'orange — Remplacer les canneberges par des bleuets frais ou congelés.

à l'orange et aux canneberges ou aux bleuets — Remplacer la farine de blé entier par 250 mL (1 tasse) de farine tout usage non tamisée et 300 mL (1 1/4 tasse) de farine à gâteaux et à pâtisseries non tamisée.

CONSEIL

Ne pas décongeler les bleuets ni les canneberges avant de les utiliser pour éviter de tacher la pâte.

IDÉE POUR SERVIR

À l'occasion de fêtes, servir des petits muffins. Se congèlent bien. C'est une idée originale pour un cadeau de Noël.

au blé entier et aux pêches

Donne: 12 muffins moyens
Préchauffer le four à 190°C (375°F) et préparer les moules.

Dans un grand bol, rassembler et bien mélanger:

Ingrédients	Quantité	
	Métrique	Impérial
Oeuf	4 unités	
Cassonade	125 mL	1/2 tasse
Huile	75 mL	1/3 tasse
Lait	175 mL	3/4 tasse
Pêche en conserve, hachée,	250 mL	14 oz
bien égouttée	ou 389 mL	1 boîte 1/2 c. à thé
Extrait d'amande	2 mL	

Dans un bol plus petit, bien mélanger:

Ingrédients	Quantité	
	Métrique	Impérial
Farine de blé entier,		
non tamisée	250 mL	1 tasse
Farine à gâteaux		
et à pâtisseries,		
non tamisée	250 mL	1 tasse
Levure chimique		
(*poudre à pâte*)	15 mL	1 c. à table
Bicarbonate de soude		
(*soda à pâte*)	5 mL	1 c. à thé
Sel	1 mL	1/4 c. à thé
Amande ou pacane hachée	125 mL	1/2 tasse

Incorporer la préparation sèche à la préparation humide et remuer douce-
ment jusqu'à ce qu'elles soient tout juste mélangées. À l'aide d'une cuil-
ler, mettre la pâte dans les moules déjà préparés et décorer le dessus des
muffins d'une moitié d'amande ou de pacane. Cuire au four à 190°C
(375°F) de 25 à 30 minutes. Démouler et laisser refroidir sur une grille.

VARIANTES

au blé entier et aux abricots — Remplacer les pêches par 250 mL (1 tasse) d'abricots en conserve hachés (1 boîte de 398 mL (14 oz)).

au blé entier et aux pêches ou aux abricots, avec de la noix de coco — Réduire la farine à gâteaux et à pâtisseries à 125 mL (1/2 tasse) et ajouter 125 mL (1/2 tasse) de noix de coco séchée non sucrée au mélange sec.

au blé entier, aux poires et au gingembre — Remplacer les pêches par 250 mL (1 tasse) de poires en conserve hachées. Ne pas mettre d'extrait d'amande et ajouter 6 à 8 morceaux de gingembre cristallisé finement haché au mélange sec.

aux courgettes et aux épices

Donne: 10 muffins moyens
Préchauffer le four à 200°C (400°F) et préparer les moules.

Dans un grand bol, rassembler et bien mélanger:

Ingrédients	Quantité Métrique	Impérial
Oeuf	2 unités	
Cassonade	150 mL	2/3 tasse
Huile	125 mL	1/2 tasse
Lait	50 mL	1/4 tasse
Vanille	5 mL	1 c. à thé
Petite courgette râpée avec la peau	375 mL	2 unités 1 1/2 tasse

Dans un bol plus petit, bien mélanger:

Ingrédients	Quantité Métrique	Impérial
Farine tout usage, non tamisée	375 mL	1 1/2 tasse
Levure chimique (*poudre à pâte*)	7 mL	1 1/2 c. à thé
Bicarbonate de soude (*soda à pâte*)	2 mL	1/2 c. à thé
Sel	2 mL	1/2 c. à thé
Cannelle	2 mL	1/2 c. à thé
Muscade	1 mL	1/4 c. à thé
Noix ou pacane hachée	125 mL	1/2 tasse

Incorporer la préparation sèche à la préparation humide et remuer douce-ment jusqu'à ce qu'elles soient tout juste mélangées. À l'aide d'une cuil-ler, mettre la pâte dans les moules déjà préparés et décorer le dessus des muffins d'une moitié de noix ou de pacane. Cuire au four à 200°C (400°F) de 20 à 25 minutes. Démouler et laisser refroidir sur une grille.

VARIANTES
aux carottes et aux épices — Remplacer les courgettes par 375 mL (1 1/2 tasse) de carottes finement râpées. Ajouter 125 mL (1/2 tasse) de raisins secs.

au blé entier et aux carottes ou aux courgettes — Remplacer la farine tout usage par 250 mL (1 tasse) de farine de blé entier non tamisée et 125 mL (1/2 tasse) de farine à gâteaux et à pâtisseries non tamisée.

IDÉE POUR SERVIR

Préparer du *fromage à la crème à tartiner:* mélanger autant de beurre que de fromage à la crème. Fouetter jusqu'à l'obtention d'une crème légère et onctueuse.

Muffins salés

au carvi et au fromage

Donne: 12 muffins moyens
Préchauffer le four à 200°C (400°F) et préparer les moules.

Dans un grand bol, rassembler et bien mélanger:

Ingrédients	Quantité Métrique	Impérial
Oeuf	2 unités	
Sucre	50 mL	1/4 tasse
Huile	50 mL	1/4 tasse
Yogourt nature ou babeurre	175 mL	3/4 tasse
Fromage cottage à la crème	250 mL	1 tasse
Graine de carvi	7 mL	1 1/2 c. à thé
		ou au goût
Peau de citron, râpée	5 mL	1 c. à thé

Dans un bol plus petit, bien mélanger:

Ingrédients	Quantité Métrique	Impérial
Farine de blé entier, non tamisée	250 mL	1 tasse
Farine à gâteaux et à pâtisseries, non tamisée	250 mL	1 tasse
Levure chimique (*poudre à pâte*)	10 mL	2 c. à thé
Bicarbonate de soude (*soda à pâte*)	2 mL	1/2 c. à thé
Sel	2 mL	1/2 c. à thé

Incorporer la préparation sèche à la préparation humide et remuer douce-
ment jusqu'à ce qu'elles soient tout juste mélangées. À l'aide d'une cuil-
ler, mettre la pâte dans les moules déjà préparés. Cuire au four à 200°C
(400°F) de 20 à 25 minutes. Démouler et laisser refroidir sur une grille.

VARIANTE
aux graines de pavot et au fromage — Remplacer les graines de carvi
par 7 mL (1 1/2 c. à thé) de graines de pavot.

IDÉE POUR SERVIR

Préparer une *crème à tartiner* (*voir* muffin *aux courgettes et aux épices*).

au carvi et à l'oignon

Donne: 12 muffins moyens
Préchauffer le four à 200°C (400°F) et préparer les moules.
Faire dorer dans une grande poêle, dans de la graisse de bacon ou dans de l'huile, puis laisser refroidir:

Ingrédients	Quantité	
	Métrique	Impérial
Petit oignon finement haché	125 mL	1 unité 1/2 tasse
Graine de carvi	7 mL	1 1/2 c. à thé
	ou au goût	
Graisse de bacon, ou huile	50 mL	1/4 tasse

Dans un grand bol, rassembler et bien mélanger:

Ingrédients	Quantité	
	Métrique	Impérial
Oeuf	1 unité	
Mélasse	50 mL	1/4 tasse
Lait	250 mL	1 tasse
Mélange à l'oignon		
(*voir* ci-dessus)	tel qu'indiqué	

Dans un bol plus petit, bien mélanger:

Ingrédients	Quantité	
	Métrique	Impérial
Farine de blé entier,		
non tamisée	250 mL	1 tasse
Farine tout usage,		
non tamisée	250 mL	1 tasse
Levure chimique		
(*poudre à pâte*)	15 mL	1 c. à table
Bicarbonate de soude		
(*soda à pâte*)	2 mL	1/2 c. à thé
Sel	5 mL	1 c. à thé

Incorporer la préparation sèche à la préparation humide et remuer douce-
ment jusqu'à ce qu'elles soient tout juste mélangées. À l'aide d'une cuil-
ler, mettre la pâte dans les moules et parsemer légèrement le dessus des
muffins de graines de carvi. Cuire au four à 200°C (400°F) de 20 à 25 minutes. Démouler et laisser refroidir sur une grille.

VARIANTE

au fenouil et à l'oignon — Remplacer les graines de carvi par des graines de fenouil.

IDÉE POUR SERVIR

Accompagne bien la soupe de pommes de terre et le poisson.

au maïs

Donne: 10 muffins moyens
Préchauffer le four à 200°C (400°F) et préparer les moules.

Dans un grand bol, rassembler et bien mélanger:

Ingrédients	Quantité Métrique	Impérial
Semoule de maïs	250 mL	1 tasse
Levure chimique		
(*poudre à pâte*)	10 mL	2 c. à thé
Bicarbonate de soude		
(*soda à pâte*)	2 mL	1/2 c. à thé
Sel	5 mL	1 c. à thé

Ajouter et bien mélanger:

Ingrédients	Quantité Métrique	Impérial
Oeuf	2 unités	
Huile de maïs	50 mL	1/4 tasse
Crème sure	250 mL	1 tasse
Maïs en crème	250 mL	1 tasse

À l'aide d'une cuiller, mettre la pâte dans les moules déjà préparés. Cuire au four à 200°C (400°F) pendant 20 minutes. Démouler et laisser refroidir sur une grille.

CONSEIL

Un seul bol suffit puisqu'il n'y a pas à incorporer de farine.

IDÉE POUR SERVIR

Servir au petit déjeuner avec des pois et du bacon ou des saucisses, ou bien au déjeuner avec du jambon ou du poulet. Excellent avec une crème de tomates.

au carvi et au seigle

Donne: 10 muffins moyens
Préchauffer le four à 200°C (400°F) et préparer les moules.
Dans un grand bol, rassembler et bien mélanger:

Ingrédients	Quantité Métrique	Impérial
Oeuf		1 unité
Cassonade	30 mL	2 c. à table
Huile	50 mL	1/4 tasse
Lait	250 mL	1 tasse
Flocon de seigle	250 mL	1 tasse
Graine de carvi	3 mL	3/4 c. à thé
		ou au goût

Dans un bol plus petit, bien mélanger:

Ingrédients	Quantité Métrique	Impérial
Farine tout usage, non tamisée	250 mL	1 tasse
Levure chimique (*poudre à pâte*)	10 mL	2 c. à thé
Sel	2 mL	1/2 c. à thé

Incorporer la préparation sèche à la préparation humide et remuer douce-ment jusqu'à ce qu'elles soient tout juste mélangées. À l'aide d'une cuil-ler, mettre la pâte dans les moules déjà préparés. Cuire au four à 200°C (400°F) pendant 20 minutes. Démouler et laisser refroidir sur une grille.

VARIANTE

pur seigle — Ne pas mettre de graines de carvi.

IDÉE POUR SERVIR

Tartiner avec du fromage à la crème fouetté.

Le muffin *pur seigle* est délicieux avec du *beurre au parmesan* — Battre ensemble jusqu'à l'obtention d'une crème légère et onctueuse 125 mL (1/2 tasse) de beurre ramolli, 125 mL (1/2 tasse) de parmesan râpé, 30 mL (2 c. à table) de persil frais haché et 2 mL (1/2 c. à thé) d'oignon en poudre.

au céleri

Donne: 12 muffins moyens
Préchauffer le four à 200°C (400°F) et préparer les moules.

Dans un grand bol, rassembler et bien mélanger:

Ingrédients	Quantité		
	Métrique		Impérial
Oeuf		4 unités	
Huile	125 mL		1/2 tasse
Crème de céleri, non diluée	284 mL	1 boîte	10 oz
Tige de céleri, moyenne, hachée	250 mL	2 unités	1 tasse
Parmesan râpé	50 mL		1/4 tasse
Persil frais haché	30 mL		2 c. à table
Sel au céleri	1 mL		1/4 c. à thé
Sel à l'oignon	1 mL		1/4 c. à thé

Dans un bol plus petit, bien mélanger:

Ingrédients	Quantité	
	Métrique	Impérial
Farine tout usage, non tamisée	500 mL	2 tasses
Levure chimique (*poudre à pâte*)	10 mL	2 c. à thé
Bicarbonate de soude (*soda à pâte*)	5 mL	1 c. à thé

Incorporer la préparation sèche à la préparation humide et remuer douce-ment jusqu'à ce qu'elles soient tout juste mélangées. À l'aide d'une cuil-ler, mettre la pâte dans les moules déjà préparés. Cuire au four à 200°C (400°F) pendant 20 minutes. Démouler et laisser refroidir sur une grille.

IDÉE POUR SERVIR

Préparer du *beurre au parmesan* (*voir* muffin *au carvi et au seigle*) et ser-vir avec une crème de tomates ou chaud avec un pâté de viande.

au fromage et au V-8

Donne: 10 muffins moyens
Préchauffer le four à 200°C (400°F) et préparer les moules.

Dans un grand bol, rassembler et bien mélanger:

Ingrédients	Quantité Métrique	Impérial
Oeuf	1 unité	
Huile	75 mL	1/3 tasse
V-8	250 mL	1 tasse
Cheddar fort, râpé	125 mL	1/2 tasse

Dans un bol plus petit, bien mélanger:

Ingrédients	Quantité Métrique	Impérial
Farine tout usage, non tamisée	425 mL	1 3/4 tasse
Levure chimique (*poudre à pâte*)	10 mL	2 c. à thé
Bicarbonate de soude (*soda à pâte*)	2 mL	1/2 c. à thé
Sel	2 mL	1/2 c. à thé

Incorporer la préparation sèche à la préparation humide et remuer douce-
ment jusqu'à ce qu'elles soient tout juste mélangées. À l'aide d'une cuil-
ler, mettre la pâte dans les moules déjà préparés. Cuire au four à 200°C
(400°F) pendant 20 minutes. Démouler et laisser refroidir sur une grille.

IDÉE POUR SERVIR

Servir au déjeuner avec une salade et une quiche. Ce muffin rehausse les
soupes un peu fades comme la crème de céleri, de champignons ou de
pommes de terre.

au fromage avec du persil et du poivre

Donne: 12 muffins moyens
Préchauffer le four à 200°C (400°F) et préparer les moules.

Dans un grand bol, rassembler et bien mélanger:

Ingrédients		Quantité	
	Métrique		Impérial
Oeuf		2 unités	
Huile	125 mL		1/2 tasse
Soupe au cheddar, non diluée	284 mL	1 boîte	10 oz
Poivre vert, haché	75 mL		1/3 tasse
Persil frais, haché	125 mL		1/2 tasse
Sauce Worcestershire		4 gouttes	

Dans un bol plus petit, bien mélanger:

Ingrédients		Quantité	
	Métrique		Impérial
Farine de blé entier, non tamisée	250 mL		1 tasse
Farine à gâteaux et à pâtisseries, non tamisée	250 mL		1 tasse
Levure chimique (*poudre à pâte*)	15 mL		1 c. à table
Bicarbonate de soude (*soda à pâte*)	1 mL		1/4 c. à thé
Sel ou sel épicé	2 mL		1/2 c. à thé

Incorporer la préparation sèche à la préparation humide et remuer doucement jusqu'à ce qu'elles soient tout juste mélangées. À l'aide d'une cuiller, mettre la pâte dans les moules déjà préparés. Cuire au four à 200°C (400°F) de 20 à 25 minutes. Démouler et laisser refroidir sur une grille.

VARIANTE

au fromage avec du persil et de l'oignon — Remplacer le persil frais et le poivre par 30 mL (2 c. à table) de persil sec et 30 mL (2 c. à table) d'oignon émincé sec.

CONSEIL

Avant de mettre au four, déposer un petit morceau de fromage sur le dessus des muffins pour qu'ils aient encore plus de goût.

IDÉE POUR SERVIR

Accompagne très bien des soupes variées: crème de poulet ou de tomates, gaspacho, soupe aux tomates ou minestrone. On peut aussi le servir avec du *Chili con carne* (boeuf haché avec du piment et des haricots rouges).

au maïs en grains

Donne: 12 muffins moyens
Préchauffer le four à 200°C (400°F) et préparer les moules.

Dans un grand bol, rassembler et bien mélanger:

Ingrédients	Quantité Métrique		Impérial
Oeuf		2 unités	
Beurre ou margarine, fondu(e)	125 mL		1/2 tasse
Babeurre	375 mL		1 1/2 tasse
Semoule de maïs	250 mL		1 tasse
Maïs en grains	250 mL	ou	1 tasse
	375 mL	1 boîte	12 oz

Dans un bol plus petit, bien mélanger:

Ingrédients	Quantité Métrique	Impérial
Farine tout usage, non tamisée	250 mL	1 tasse
Sucre	22 mL	1 1/2 c. à table
Levure chimique (*poudre à pâte*)	10 mL	2 c. à thé
Bicarbonate de soude (*soda à pâte*)	5 mL	1 c. à thé
Sel	2 mL	1/2 c. à thé

Incorporer la préparation sèche à la préparation humide et remuer douce-
ment jusqu'à ce qu'elles soient tout juste mélangées. À l'aide d'une cuil-
ler, mettre la pâte dans les moules déjà préparés. Cuire au four à 200°C
(400°F) pendant 25 minutes. Démouler et laisser refroidir sur une grille.

VARIANTE

au bacon et au maïs — Ne pas mettre de sel. Hacher 10 tranches de
bacon, faire frire jusqu'à ce que ce soit croustillant et mettre de côté.
Verser la graisse de bacon dans une tasse à mesurer et ajouter de l'huile
pour obtenir en tout 125 mL (1/2 tasse) qu'on verse dans le mélange humide. Incorporer le bacon à la pâte au dernier moment.

IDÉE POUR SERVIR

Très bon avec des oeufs, du jambon et du poulet. On peut en apporter à un déjeuner improvisé pour remplacer les petits pains.

à la farine de maïs et aux tomates

Donne: 12 muffins moyens
Préchauffer le four à 200°C (400°F) et préparer les moules.

Mélanger et laisser tremper pendant 10 minutes:

Ingrédients	Quantité Métrique	Quantité	Impérial
Semoule de maïs	250 mL		1 tasse
Tomates en conserve avec le jus	398 mL	1 boîte	14 oz

Dans un grand bol, rassembler et bien mélanger:

Ingrédients	Quantité Métrique	Quantité	Impérial
Oeuf		2 unités	
Cassonade	30 mL		2 c. à table
Huile	125 mL		1/2 tasse
Mélange à la semoule de maïs (*voir* ci-dessus)		tel qu'indiqué	
Basilic séché	3 mL		3/4 c. à thé ou au goût

Dans un bol plus petit, bien mélanger:

Ingrédients	Quantité Métrique	Quantité	Impérial
Farine tout usage, non tamisée	375 mL		1 1/2 tasse
Levure chimique (*poudre à pâte*)	15 mL		1 c. à table
Bicarbonate de soude (*soda à pâte*)	2 mL		1/2 c. à thé
Sel	5 mL		1 c. à thé
Ail en poudre	1 mL		1/4 c. à thé

Incorporer la préparation sèche à la préparation humide et remuer doucement jusqu'à ce qu'elles soient tout juste mélangées. À l'aide d'une cuiller, mettre la pâte dans les moules déjà préparés. Cuire au four à 200°C (400°F) pendant 25 minutes. Démouler et laisser refroidir sur une grille.

VARIANTE

à la semoule de maïs avec des morceaux de tomates — Remplacer les tomates en conserve par 300 mL (1 1/4 tasse) de lait. Ne mettre que 50 mL (1/4 tasse) d'huile et ajouter 250 mL (1 tasse) de tomates fraîches pelées, épépinées et hachées au mélange humide.

CONSEIL

Ce muffin est encore plus savoureux servi très chaud avec du beurre. Quand c'est la saison, utiliser uniquement des tomates fraîches en guise de variante.

IDÉE POUR SERVIR

Essayer ces muffins avec une chaudrée de myes (palourdes) ou une chaudrée de poissons.

à la semoule de maïs et à la sauge

Donne: 14 muffins moyens
Préchauffer le four à 200°C (400°F) et préparer les moules.

Mélanger et laisser tremper pendant 10 minutes:

Ingrédients	Quantité Métrique	Impérial
Semoule de maïs	125 mL	1/2 tasse
Babeurre	500 mL	2 tasses

Dans un grand bol, rassembler et bien mélanger:

Ingrédients	Quantité Métrique	Impérial
Oeuf	3 unités	
Sucre	15 mL	1 c. à table
Beurre ou margarine, fondu(e)	125 mL	1/2 tasse
Sauge fraîche	15 mL	1 c. à table
ou séchée	5 mL	1 c. à thé

Dans un bol plus petit, bien mélanger:

Ingrédients	Quantité Métrique	Impérial
Farine tout usage, non tamisée	375 mL	1 1/2 tasse
Levure chimique (*poudre à pâte*)	15 mL	1 c. à table
Bicarbonate de soude (*soda à pâte*)	5 mL	1 c. à thé
Sel	7 mL	1 1/2 c. à thé

Incorporer la préparation sèche à la préparation humide et remuer douce-ment jusqu'à ce qu'elles soient tout juste mélangées. À l'aide d'une cuil-ler, mettre la pâte dans les moules déjà préparés. Cuire au four à 200°C (400°F) pendant 20 minutes. Démouler et laisser refroidir sur une grille.

VARIANTE

à la farine de maïs et à la marjolaine — Remplacer la sauge par 15 mL (1 c. à table) de marjolaine fraîche ou 5 mL (1 c. à thé) de sauge séchée.

IDÉE POUR SERVIR

On peut le servir avec du boeuf haché à la cocotte, du poulet rôti ou un ragoût.

au fromage cottage et au fenouil

Donne: 12 muffins moyens
Préchauffer le four à 200°C (400°F) et préparer les moules.
Dans un grand bol, rassembler et bien mélanger:

Ingrédients	Quantité Métrique	Impérial
Oeuf	**1 unité**	
Huile	**50 mL**	**1/4 tasse**
Lait	**125 mL**	**1/2 tasse**
Fromage cottage en crème	**250 mL**	**1 tasse**
Fenouil tendre frais,		
finement haché	**30 mL**	**2 c. à table**
Petit oignon vert haché	**30 mL**	**2 c. à table**
Sauce Worcestershire	**2 mL**	**1/2 c. à thé**
Sel épicé	**2 mL**	**1/2 c. à thé**

Dans un bol plus petit, bien mélanger:

Ingrédients	Quantité Métrique	Impérial
Farine tout usage,		
non tamisée	**500 mL**	**2 tasses**
Levure chimique		
(*poudre à pâte*)	**15 mL**	**1 c. à table**

Incorporer la préparation sèche à la préparation humide et remuer doucement jusqu'à ce qu'elles soient tout juste mélangées. À l'aide d'une cuiller, mettre la pâte dans les moules déjà préparés. Cuire au four à 200°C (400°F) de 25 à 30 minutes. Démouler et laisser refroidir sur une grille.

VARIANTE
aux pommes de terre avec du fenouil, du persil et des oignons —
Remplacer le fromage par 1 boîte de crème de pommes de terre de 284 mL (10 oz). Réduire en purée au malaxeur ou au robot. Ajouter 30 mL (2 c. à table) de persil frais haché au mélange humide.

IDÉE POUR SERVIR

Très bon avec des asperges fraîches ou une soupe aux tomates ou encore au petit déjeuner avec des oeufs brouillés et du corned-beef haché.

à l'oignon et au persil

Donne: 12 muffins moyens
Préchauffer le four à 200°C (400°F) et préparer les moules.
Dans un grand bol, rassembler et bien mélanger:

Ingrédients	Quantité Métrique	Impérial
Oeuf	1 unité	
Huile	50 mL	1/4 tasse
Lait	250 mL	1 tasse
Petit oignon vert, finement haché	75 mL	1/3 tasse
Persil frais, finement haché	75 mL	1/3 tasse

Dans un bol plus petit, bien mélanger:

Ingrédients	Quantité Métrique	Impérial
Farine tout usage, non tamisée	500 mL	2 tasses
Sucre	15 mL	1 c. à table
Levure chimique (*poudre à pâte*)	15 mL	1 c. à table
Sel	7 mL	1 1/2 c. à thé

Incorporer la préparation sèche à la préparation humide et remuer douce-
ment jusqu'à ce qu'elles soient tout juste mélangées. À l'aide d'une cuil-
ler, mettre la pâte dans les moules déjà préparés. Cuire au four à 200°C
(400°F) pendant 20 minutes. Démouler et laisser refroidir sur une grille.

CONSEIL

Couper le persil, le fenouil, la ciboulette et autres fines herbes avec des
ciseaux de cuisine.

IDÉE POUR SERVIR

Préparer du *beurre au cheddar* — Battre ensemble jusqu'à l'obtention
d'une crème légère et onctueuse 125 mL (1/2 tasse) de beurre ramolli,
125 mL (1/2 tasse) de cheddar doux ou mi-fort râpé et 30 mL (2 c. à table) de persil frais haché.

au maïs en crème et au fromage

Donne: 12 muffins moyens
Préchauffer le four à 200°C (400°F) et préparer les moules.

Dans un grand bol, rassembler et bien mélanger:

Ingrédients		Quantité	
	Métrique		Impérial
Oeuf		1 unité	
Huile de maïs	50 mL		1/4 tasse
Crème sure	50 mL		1/4 tasse
Maïs en crème	300 mL		1 1/4 tasse
	284 mL	1 boîte	10 oz
Cheddar fort ou mi-fort râpé	175 mL		3/4 tasse

Dans un bol plus petit, bien mélanger:

Ingrédients		Quantité	
	Métrique		Impérial
Farine tout usage, non tamisée	375 mL		1 1/2 tasse
Sucre	15 mL		1 c. à table
Levure chimique (*poudre à pâte*)	7 mL		1 1/2 c. à thé
Bicarbonate de soude (*soda à pâte*)	2 mL		1/2 c. à thé
Sel	2 mL		1/2 c. à thé

Incorporer la préparation sèche à la préparation humide et remuer douce-ment jusqu'à ce qu'elles soient tout juste mélangées. À l'aide d'une cuil-ler, mettre la pâte dans les moules déjà préparés. Cuire au four à 200°C (400°F) pendant 20 minutes. Démouler et laisser refroidir sur une grille.

VARIANTE

au maïs en grains et au fromage — Remplacer le maïs en crème par 250 mL (1 tasse) de maïs en grains (égouttés). Remplacer la crème sure par 250 mL (1 tasse) de babeurre.

CONSEIL

Le fromage frais se râpe plus facilement si on le met d'abord de 30 à 40 minutes au congélateur.

IDÉE POUR SERVIR

Pour un souper rapide, servir avec des saucisses frites et une salade de haricots.

aux «pépites» de jambon et au maïs

Donne: 12 muffins moyens
Préchauffer le four à 200°C (400°F) et préparer les moules.

Dans un grand bol, rassembler et bien mélanger:

Ingrédients	Quantité	
	Métrique	Impérial
Oeuf	2 unités	
Huile	125 mL	1/2 tasse
Maïs en crème	375 mL	1 1/2 tasse
	398 mL	1 boîte · 14 oz

Dans un bol plus petit, bien mélanger:

Ingrédients	Quantité	
	Métrique	Impérial
Farine de blé entier, non tamisée	250 mL	1 tasse
Farine tout usage, non tamisée	250 mL	1 tasse
Levure chimique (*poudre à pâte*)	15 mL	1 c. à table
Sel	2 mL	1/2 c. à thé
Cube de jambon de 1,25 cm (1/2 po)	12 unités	

Incorporer la préparation sèche à la préparation humide et remuer douce-
ment jusqu'à ce qu'elles soient tout juste mélangées. À l'aide d'une cuil-
ler, mettre la pâte dans les moules déjà préparés et enfoncer un cube de
jambon au centre des muffins. Cuire au four à 200°C (400°F) de 20 à 25
minutes. Démouler et laisser refroidir sur une grille.

VARIANTE

aux «pépites» de cheddar et au maïs — Remplacer le jambon par des
cubes de cheddar.

CONSEIL

Manger les muffins *aux «pépites» de cheddar et au maïs* quand ils sont
chauds et fraîchement cuits. Le cheddar fondu durcit en refroidissant.

IDÉE POUR SERVIR

Les enfants adorent trouver la «pépite». Ce muffin accompagne bien la soupe poulet et nouilles.

au parmesan

Donne: 12 muffins moyens
Préchauffer le four à 200°C (400°F) et préparer les moules.

Dans un grand bol, rassembler et bien mélanger:

Ingrédients	Quantité Métrique	Impérial
Oeuf	2 unités	
Huile	125 mL	1/2 tasse
Lait	175 mL	3/4 tasse

Dans un bol plus petit, bien mélanger:

Ingrédients	Quantité Métrique	Impérial
Farine de blé entier, non tamisée	250 mL	1 tasse
Farine à gâteaux et à pâtisseries,	250 mL	1 tasse
Parmesan râpé	125 mL	1/2 tasse
Sucre	15 mL	1 c. à table
Levure chimique (*poudre à pâte*)	15 mL	1 c. à table
Sel à l'ail	2 mL	1/2 c. à thé
Sel à l'oignon	2 mL	1/2 c. à thé

Incorporer la préparation sèche à la préparation humide et remuer doucement jusqu'à ce qu'elles soient tout juste mélangées. À l'aide d'une cuiller, mettre la pâte dans les moules déjà préparés. Cuire au four à 200°C (400°F) de 20 à 25 minutes. Démouler et laisser refroidir sur une grille.

VARIANTE

aux courgettes et au parmesan — Ne mettre que 50 mL (1/4 tasse) de lait. Ajoutez 250 mL (1 tasse) de courgettes fraîches râpées, avec la peau, au mélange humide.

CONSEIL
Utiliser du parmesan de bonne qualité.

IDÉE POUR SERVIR
Accompagne bien les salades ainsi que les plats italiens.

Lexique

Caroube: Un substitut du chocolat que l'on peut se procurer dans les magasins d'aliments naturels. Connue aussi sous le nom de *Pain de saint Jean*, du nom de saint Jean-Baptiste qui aurait survécu dans le désert en s'alimentant de caroube. Existe en poudre ou en grains. Est exempte de caféine et renferme des éléments très nutritifs. La caroube en poudre crue contenant 46 % de sucre naturel, il faut mettre moins de sucre quand on l'utilise à la place du chocolat.

Chocolat, cacao: Le chocolat et le cacao proviennent tous deux de la graine du *Théobroma* (met des dieux), arbre tropical. Le chocolat en tant que tel est extrait de la graine et l'on en fait des pains d'où l'on tire le chocolat et le cacao.

Le chocolat sucré se compose de chocolat amer fondu, de beurre de cacao, de sucre très fin, de lait et de vanille. Le chocolat mi-amer se compose de 60 % de chocolat amer et de 40 % de sucre.

Le cacao amer ordinaire en poudre contient 10 % de matières grasses et le cacao de type hollandais pour le petit déjeuner, 24 %. Le cacao instantané est réduit et contient un émulsifiant lui permettant de se dissoudre plus facilement dans un liquide. Sa teneur en sucre de 80 % le rend impropre à la cuisson.

Farine: Il existe des farines de blé et des farines provenant d'autres céréales ou farineux. Les farines de blé peuvent se diviser en deux catégories: les farines de blé dur et les farines de blé tendre selon leur teneur en gluten. Le gluten est une substance protidique qui contribue à la fermentation de la pâte à pain. Pour obtenir de meilleurs résultats, il faut mélanger les farines pauvres en gluten avec des farines riches en gluten.

Voici quelques farines de blé: farine tout usage, farine à gâteaux et à pâtisseries, farine de gluten, farine de «premier jet» (Graham flour), farine enrichie, blé concassé, farine de blé entier, semoule, semoule de blé dur.

Les farines provenant d'autres céréales ou farineux ne contiennent pas de gluten et requièrent plus de levure que les farines de blé. Pour obtenir de meilleurs résultats, il faut les mélanger avec des farines de blé.

En voici quelques-unes: farine d'orge, farine de seigle, farine de pommes de terre, farine de riz, farine de durum, farine d'avoine, farine de maïs et farine de soja.

Farine à gâteaux et à pâtisseries: Farine de blé tendre finement moulu à faible teneur en gluten. Donne à la pâte une texture légère. La farine de blé entier à gâteaux et à pâtisseries existe également.

Farine de blé entier: Farine de blé contenant le germe et le son. Doit se garder au réfrigérateur.

Farine de gluten: Farine de blé très riche en protéines et débarrassée de la plus grande partie de l'amidon.

Farine de maïs: Les grains de maïs sont finement moulus et le goût du maïs est plus léger que dans la semoule de maïs, grossièrement moulue.

Farine de «premier jet» (Graham flour): Type de farine de blé entier dont le son est grossièrement moulu. On l'appelle parfois farine de grain entier; on peut l'utiliser à la place de la farine de blé entier.

Farine de seigle: Farine lourde de grains de seigle moulus, à faible teneur en gluten.

Farine de soja: Grains de soja moulus. Riche en protéines et pauvre en matières grasses, à très faible teneur en gluten. A un goût légèrement amer — l'utiliser avec modération.

Farine d'orge: Le grain d'orge est moulu très fin. Cette farine ressemble beaucoup à la farine de seigle de par son aspect et son degré d'humidité.

Farine instantanée: Moulue très fin. Donne à la pâte une texture différente lors de la cuisson. Certaines farines instantanées contiennent plus de gluten que d'autres et peuvent rendre les muffins plus durs.

Farine non blanchie: Farine de blé dur pour faire le pain, riche en gluten. Ne peut pas s'utiliser à la place de la farine tout usage pour la pâtisserie fine. Un mélange de 175 mL (3/4 tasse) de farine non blanchie plus 50 mL (1/4 tasse) de farine à gâteaux et à pâtisseries équivaut à 250 mL (1 tasse) de farine tout usage. Se conserve moins longtemps que les farines blanchies et doit se garder au réfrigérateur. Contient des éléments nutritifs qui sont détruits lors du blanchissage. Dans la farine blanchie ou enrichie, ces éléments sont remplacés synthétiquement.

Farine préparée: Contient de la levure chimique (*poudre à pâte*). 250 mL (1 tasse) de farine préparée équivalent à 250 mL (1 tasse) de farine tout usage plus 5 mL (1 c. à thé) de levure chimique (*poudre à pâte*).

Farine tout usage: Mélange de blé dur et de blé tendre à forte teneur en gluten.

Germe de blé: Provient du grain du blé. Doit se garder au réfrigérateur. Riche en complexe vitaminique B et en vitamine E. Donne aux muffins une texture rappelant la noisette.

Semoule: Faite avec de la farine de blé dur.

Semoule de blé dur: Farine de blé dur dont on a ôté le germe et le son.

Triticale: Hybride du seigle et du blé, à forte teneur en protéines et au délicieux goût de seigle.

Lait en poudre: Le lait en poudre instantané est généralement exempt de matières grasses. Il existe aussi du lait non instantané sans matières grasses, du lait entier, du babeurre et du lait de soja.

Mélasse: Quand on remplace le sucre par de la mélasse, il faut en mettre la moitié moins que la quantité de sucre indiquée dans la recette pour obtenir un meilleur goût.
Il existe trois types de mélasse:

Non sulfurée: tirée du jus de canne à sucre.
Sulfurée: dérivée du sucre.
Verte: résidu du jus de canne à sucre.

Huiles: Il existe des huiles de noix et des huiles végétales. Les huiles de noix ne réagissent pas bien à la chaleur et sont donc impropres à la cuisson. Il faut utiliser des huiles végétales de graines telles que l'huile de maïs, de coton, d'olive, de soja, de sésame, de tournesol et de carthame. Les huiles contenant 100 % de matières grasses, il ne faut pas s'en servir à la place du beurre, moins gras, en quantité égale. L'huile contient 20 % de matières grasses de plus. Il faut ajuster les proportions (par ex.: 75 mL (1/3 tasse) de beurre pour 50 mL (1/4 tasse) d'huile). La graisse végétale, par contre, peut remplacer le beurre en quantité égale.

Table des matières

Index des recettes

Ouvrages parus chez les éditeurs du groupe Sogides

* Pour l'Amérique du Nord seulement
** Pour l'Europe seulement
Sans * pour l'Europe et l'Amérique du Nord

ANIMAUX

* **Art du dressage, L'**, Chartier Gilles
Bien nourrir son chat, D'Orangeville Christianz
Cheval, Le, Leblanc Michel
Chien dans votre vie, Le, Swan Marguerite
Éducation du chien de 0 à 6 mois, L', DeBuyser Dr Colette et Dr Dehasse Joël
Encyclopédie des oiseaux, Godfrey W. Earl
Guide de l'oiseau de compagnie, Le, Dr R. Dean Axelson
Mammifère de mon pays,, Duchesnay St-Denis J. et Dumais Rolland
* **Mon chat, le soigner, le guérir**, D'Orangeville Christian
Observations sur les mammifères, Provencher Paul
Papillons du Québec, Les, Veilleux Christian et PrévostBernard
Petite ferme, T.1,
Les animaux, Trait Jean-Claude

Vous et vos petits rongeurs, Eylat Martin
Vous et vos poissons d'aquarium, Ganiel Sonia
Vous et votre berger allemand, Eylat Martin
Vous et votre boxer, Herriot Sylvain
Vous et votre caniche, Shira Sav
Vous et votre chat de gouttière, Gadi Sol
Vous et votre chow-chow, Pierre Boistel
Vous et votre collie, Ethier Léon
Vous et votre doberman, Denis Paula
Vous et votre fox-terrier, Eylat Martin
Vous et votre husky, Eylat Marti
Vous et vos oiseaux de compagnie, Huard-Viau Jacqueline
Vous et votre schnauzer, Eylat Martin
Vous et votre setter anglais, Eylat Martin
Vous et votre siamois, Eylat Odette
Vous et votre teckel, Boistel Pierre
Vous et votre yorkshire, Larochelle Sandra

ARTISANAT/ARTS MÉNAGER

Appareils électro-ménagers, Prentice-Hall du Canada
* **Art du pliage du papier**, Harbin Robert
Artisanat québécois, T.1, Simard Cyril

Artisanat québécois, T.2, Simard Cyril
Artisanat québécois, T.3, Simard Cyril
Artisanat québécois, T.4, Simard Cyril, Bouchard Jean-Louis

1

Bon Fignolage, Le, Arvisais Dolorès A.
Coffret artisanat, Simard Cyril
* Construire des cabanes d'oiseaux, Dion André
Construire sa maison en bois rustique, Mann D.
    et Skinulis R.
Crochet Jacquard, Le, Thérien Brigitte
Cuir, Le, Saint-Hilaire Louis et Vogt Walter
Dentelle, T.1, La, De Seve Andrée-Anne
Dentelle, T.2, La, De Seve Andrée-Anne
Dessiner et aménager son terrain, Prentice-Hall du Canada
Encyclopédie de la maison québécoise, Lessard Michel
Encyclopédie des antiquités, Lessard Michel
Entretien et réparation de la maison, Prentice-Hall du
    Canada

Guide du chauffage au bois, Flager Gordon
J'apprends à dessiner, Nassh Joanna
Je décore avec des fleurs, Bassili Mimi
J'isole mieux, Eakes Jon
Mécanique de mon auto, La, Time-Life
Outils manuels, Les, Prentice Hall du Canada
Petits appareils électriques, Prentice-Hall du Canada
Piscines, Barbecues et patio
Taxidermie, La, Labrie Jean
Terre cuite, Fortier Robert
Tissage, Le, Grisé-Allard Jeanne et Galarneau Germaine
Tout sur le macramé, Harvey Virginia L.
Trucs ménagers, Godin Lucille
Vitrail, Le, Bettinger Claude

ART CULINAIRE

À table avec soeur Angèle, Soeur Angèle
Art d'apprêter les restes, L', Lapointe Suzanne
Art de la cuisine chinoise, L', Chan Stella
Art de la table, L', Du Coffre Marguerite
Barbecue, Le, Dard Patrice
Bien manger à bon compte, Gauvin Jocelyne
Boîte à lunch, La, Lambert Lagacé Louise
Brunches & petits déjeuners en fête, Bergeron Yolande
100 recettes de pain faciles à réaliser, Saint-Pierre
    Angéline
Cheddar, Le, Clubb Angela
Cocktails & punchs au vin, Poister John
Cocktails de Jacques Normand, Normand Jacques
Coffret la cuisine
Confitures, Les, Godard Misette
Congélation de A à Z, La, Hood Joan
Congélation des aliments, Lapointe Suzanne
Conserves, Les, Sansregret Berthe
Cornichons, Ketchups et Marinades, Chesman Andrea
Cuisine au wok, Solomon Charmaine
Cuisine aux micro-ondes 1 et 2 portions, Marchand
    Marie-Paul
Cuisine chinoise, La, Gervais Lizette
* Cuisine chinoise traditionnelle, La, Chen Jean
* Cuisine créative Campbell, La, Cie Campbell
Cuisine de Pol Martin, Martin Pol
* Cuisine du monde entier avec Weight Watchers,
    Weight Watchers
Cuisine facile aux micro-ondes, Saint-Amour Pauline
Cuisine joyeuse de soeur Angèle, La, Soeur Angèle
Cuisine micro-ondes, La, Benoît Jehane
Cuisine santé pour les aînés, Hunter Denyse

Cuisiner avec le four à convection, Benoît Jehane
Cuisinez selon le régime Scarsdale, Corlin Judith
Cuisinier chasseur, Le, Hugueney Gérard
Entrées chaudes et froides, Dard Patrice
Faire son pain soi-même, Murray Gill Janice
Faire son vin soi-même, Beaucage André
Fine cuisine aux micro-ondes, La, Dard Patrice
Fondues & flambées de maman Lapointe, Lapointe
    Suzanne
Fondues, Les, Dard Partice
Menus pour recevoir, Letellier Julien
Muffins, Les, Clubb Angela
Nouvelle cuisine micro-ondes, La, Marchand Marie-Paul et
    Grenier Nicole
Nouvelle cuisine micro-ondes II, La, Marchand
    Marie-Paul et Grenier Nicole
Pâtés à toutes les sauces, Les, Lapointe Lucette
Patés et galantines, Dard Patrice
Pâtisserie, La, Bellot Maurice-Marie
Poissons et fruits de mer, Dard Patrice
Poissons et fruits de mer, Sansregret Berthe
Recettes au blender, Huot Juliette
Recettes canadiennes de Laura Secord, Canadian Home
    Economics Association
Recettes de gibier, Lapointe Suzanne
Recettes de maman Lapointe, Les, Lapointe Suzanne
Recettes Molson, Beaulieu Marcel
Robot culinaire, le, Martin Pol
Salades des 4 saisons et leurs
vinaigrettes, Dard Patrice
Salades, sandwichs, hors d'oeuvre, Martin Pol
Soupes, potages et veloutés, Dard Patrice

BIOGRAPHIES POPULAIRES

Daniel Johnson, T.1, Godin Pierre
Daniel Johnson, T.2, Godin Pierre
Daniel Johnson - Coffret, Godin Pierre
Dans la fosse aux lions, Chrétien Jean
* Dans la tempête, Lachance Micheline
Duplessis, T.1 - L'ascension, Black Conrad
Duplessis, T.2 - Le pouvoir, Black Conrad
Duplessis - Coffret, Black Conrad
Dynastie des Bronfman, La, Newman Peter C.

Establishment canadien, L', Newman Peter C.
* Maître de l'orchestre, Le, Nicholson Georges
Maurice Richard, Pellerin Jean
Mulroney, Macdonald L.I.
Nouveaux Riches, Les, Newman Peter C.
Prince de l'Église, Le, Lachance Micheline
Saga des Molson, La, Woods Shirley
* Une femme au sommet - Son excellence Jeanne Sauvé,
Woods Shirley E.

DIÉTÉTIQUE

Combler ses besoins en calcium, Hunter Denyse
Contrôlez votre poids, Ostiguy Dr Jean-Paul
* Cuisine sage, Lambert-Lagacé Louise
* Diète rotation, La, Katahn Dr Martin
Diététique dans la vie quotidienne, Lambert-Lagacé
Louise
Livre des vitamines, Le, Mervyn Leonard
* Maigrir en santé, Hunter Denyse
* Menu de santé, Lambert-Lagacé Louise
Oubliez vos allergies, et… bon appétit, Association de
l'information sur les allergies

Petite & grande cuisine végétarienne, Bédard Manon
* Plan d'attaque Weight Watchers, Le, Nidetch Jean
Plan d'attaque plus Weight Watchers, Le, Nidetch Jean
Recettes pour aider à maigrir, Ostiguy Dr Jean-Paul
* Régimes pour maigrir, Beaudoin Marie-Josée
Sage bouffe de 2 à 6 ans, La, Lambert-Lagacé Louise
Weight Watchers - cuisine rapide et savoureuse,
Weight Watchers
Weight Watchers-Agenda 85 -Français, Weight Watchers
Weight Watchers-Agenda 85 -Anglais, Weight Watchers

DIVERS

* Acheter ou vendre sa maison, Brisebois Lucille
* Acheter et vendre sa maison ou son condominium,
Brisebois Lucille
* Acheter une franchise, Levasseur Pierre
* Bourse, La, Brown Mark
* Chaînes stéréophoniques, Les, Poirier Gilles
* Choix de carrières, T.1, Milot Guy
* Choix de carrières, T.2, Milot Guy
* Choix de carrières, T.3, Milot Guy
* Comment rédiger son curriculum vitae, Brazeau Julie
* Comprendre le marketing, Levasseur Pierre
* Conseils aux inventeurs, Robic Raymond
* Devenir exportateur, Levasseur Pierre
* Dictionnaire économique et financier, Lafond Eugène
* Faire son testament soi-même, Me Poirier Gérald,
Lescault Nadeau Martine (notaire)
* Faites fructifier votre argent, Zimmer Henri B.
Finances, Les, Hutzler Laurie H.
* Gérer ses ressources humaines, Levasseur Pierre
* Gestionnaire, Le, Colwell Marian
* Guide de la haute-fidélité, Le, Prin Michel
* Je cherche un emploi, Brazeau Julie
* Lancer son entreprise, Levasseur Pierre
Leadership, Le, Cribbin, James J.

Livre de l'étiquette, Le, Du Coffre Marguerite
* Loi et vos droits, La, Marchand Me Paul-Émile
Meeting, Le, Holland Gary
Mémo, Le, Reimold Cheryl
Notre mariage (étiquette et
planification), Du Coffre, Marguerite
Patron, Le, Reimold Cheryl
Relations publiques, Les, Doin Richard, Lamarre Daniel
* Règles d'or de la vente, Les, Kahn George N.
* Roulez sans vous faire rouler, T.3, Edmonston Philippe
Savoir vivre aujourd'hui, Fortin Jacques Marcelle
Séjour dans les auberges du Québec, Cazelais Normand et
Coulon Jacques
Stratégies de placements, Nadeau Nicole
Temps des fêtes au Québec, Le, Montpetit Raymond
Tenir maison, Gaudet-Smet Françoise
* Tout ce que vous devez savoir sur le condominium,
Dubois Robert
Univers de l'astronomie, L', Tocquet Robert
Vente, La, Hopkins Tom
* Votre argent, Dubois Robert
Votre système vidéo, Boisvert Michel et Lafrance André A.
* Week-end à New York, Tavernier-Cartier Lise

3

ENFANCE

ÉSOTÉRISME

HISTOIRE

INFORMATIQUE

PHOTOGRAPHIE (ÉQUIPEMENT ET TECHNIQUE)

* Apprenez la photographie avec Antoine Desilets, Desilets Antoine
Chasse photographique, Coiteux Louis
8/Super 8/16, Lafrance André
Initiation à la Photographie, London Barbara
Initiation à la Photographie-Canon, London Barbara
Initiation à la Photographie-Minolta, London Barbara
Initiation à la Photographie-Nikon, London Barbara

Initiation à la Photographie-Olympus, London Barbara
Initiation à la Photographie-Pentax, London Barbara
* Je développe mes photos, Desilets Antoine
* Je prends des photos, Desilets Antoine
* Photo à la portée de tous, Desilets Antoine
Photo guide, Desilets Antoine

PSYCHOLOGIE

Âge démasqué, L', De Ravinel Hubert
* Aider mon patron à m'aider, Houde Eugène
* Amour de l'exigence à la préférence, Auger Lucien
Au-delà de l'intelligence humaine, Pouliot Élise
Auto-développement, L', Garneau Jean
Bonheur au travail, Le, Houde Eugène
Bonheur possible, Le, Blondin Robert
Chimie de l'amour, La, Liebowitz Michael
Coeur à l'ouvrage, Le, Lefebvre Gérald
Coffret psychologie moderne Colère, La, Tavris Carol
* Comment animer un groupe, Office Catéchèsse
* Comment avoir des enfants heureux, Azerrad Jacob
* Comment déborder d'énergie, Simard Jean-Paul
Comment vaincre la gêne, Catta Rene-Salvator
* Communication dans le couple, La, Granger Luc
* Communication et épanouissement personnel, Auger Lucien
* Comprendre la névrose et aider les névrosés, Ellis Albert
* Contact, Zunin Nathalie
* Courage de vivre, Le, Kiev Docteur A.
Courage et discipline au travail, Houde Eugène
Dynamique des groupes, Aubry J.-M. et Saint-Arnaud Y.
Élever des enfants sans perdre la boule, Auger Lucien
* Émotivité et efficacité au travail, Houde Eugène
Enfant paraît... et le couple demeure, L', Dorman Marsha et Klein Diane
Enfants de l'autre, Les, Paris Erna
* Être soi-même, Corkille Briggs D.
* Facteur chance, Le, Gunther Max
* Fantasmes créateurs, Les, Singer Jérôme
Infidélité, L', Leigh Wendy
Intuition, L', Goldberg Philip
* J'aime, Saint-Arnaud Yves
Journal intime intensif, Progoff Ira
Miracle de l'amour, Un, Kaufman Barry Neil

* Mise en forme psychologique, Corrière Richard
* Parle-moi... J'ai des choses à te dire, Salome Jacques
Penser heureux, Auger Lucien
* Personne humaine, La, Saint-Arnaud Yves
* Plaisirs du stress, Les, Hanson Dr Peter G.
* Première impression, La, Kleinke Chris, L.
* Prévenir et surmonter la déprime, Auger Lucien
* Prévoir les belles années de la retraite, D. Gordon Michael
* Psychologie dans la vie quotidienne, Blank Dr Léonard
* Psychologie de l'amour romantique, Braden Docteur N.
* Qui es-tu grand-mère? Et toi grand-père? Eylat Odette
* S'affirmer et communiquer, Beaudry Madeleine
* S'aider soi-même, Auger Lucien
* S'aider soi-même d'avantage, Auger Lucien
* S'aimer pour la vie, Wanderer Dr Zev
* Savoir organiser, savoir décider, Lefebvre Gérald
* Savoir relaxer et combattre le stress, Jacobson Dr Edmund
Se changer, Mahoney Michael
* Se comprendre soi-même par des tests, Collectif
* Se concentrer pour être heureux, Simard Jean-Paul
Se connaître soi-même, Artaud Gérard
Se contrôler par le biofeedback, Ligonde Paultre
* Se créer par la Gestalt, Zinker Joseph
* S'entraider, Limoges Jacques
Se guérir de la sottise, Auger Lucien
Séparation du couple, La, Weiss Robert S.
Sexualité au bureau, La, Horn Patrice
Syndrome prémenstruel, Le, Shreeve Dr Caroline
* Vaincre ses peurs, Auger Lucien
Vivre à deux: plaisir ou cauchemar, Duval Jean-Marie
* Vivre avec sa tête ou avec son coeur, Auger Lucien
Vivre c'est vendre, Chaput Jean-Marc
* Vivre jeune, Waldo Myra
* Vouloir c'est pouvoir, Hull Raymond

JARDINAGE

Culture des fleurs, des fruits, Prentice-Hall du Canada
Encyclopédie du jardinier, Perron W.H.
Guide complet du jardinage, Wilson Charles
J'aime les violettes africaines, Davidson Robert

Petite ferme, T. 2 - Jardin potager, Trait Jean-Claude
Plantes d'intérieur, Les, Pouliot Paul
Techniques du jardinage, Les, Pouliot Paul
* Terrariums, Les, Kayatta Ken

JEUX/DIVERTISSEMENTS

Améliorons notre bridge, Durand Charles
* Bridge, Le, Beaulieu Viviane
Clés du scrabble, Les, Sigal Pierre A.
Collectionner les timbres, Taschereau Yves
* Dictionnaire des mots croisés, noms communs, Lasnier
Paul
* Dictionnaire des mots croisés, noms propres, Piquette
Robert

* Dictionnaire raisonné des mots croisés, Charron
Jacqueline
Finales aux échecs, Les, Santoy Claude
Jeux de société, Stanké Louis
* Jouons ensemble, Provost Pierre
Livre des patiences, Le, Bezanovska M. et Kitchevats P.
* Ouverture aux échecs, Coudari Camille
Scrabble, Le, Gallez Daniel
Techniques du billard, Morin Pierre

LINGUISTIQUE

* Anglais par la méthode choc, L', Morgan Jean-Louis
* J'apprends l'anglais, Silicani Gino

Petit dictionnaire du joual, Turenne Auguste
Secrétaire bilingue, La, Lebel Wilfrid

LIVRES PRATIQUES

Bonnes idées de maman Lapointe, Les, Lapointe Lucette
Chasse-taches, Le, Cassimatis Jack
* Maîtriser son doigté sur un clavier, Lemire Jean-Paul

* Se protéger contre le vol, Kabundi Marcel et Normandeau
André
Temps c'est de l'argent, Le, Davenport Rita

MUSIQUE ET CINÉMA

* Guitare, La, Collins Peter
Piano sans professeur, Le, Evans Roger

Wolfgang Amadeus Mozart raconté en 50 chefs-d'oeuvre,
Roussel Paul

NOTRE TRADITION

Coffret notre tradition Écoles de rang au Québec, Les,
Dorion Jacques
Encyclopédie du Québec, T.1, Landry Louis
Encyclopédie du Québec, T.2, Landry Louis
Histoire de la chanson québécoise, L'Herbier Benoît
Maison traditionnelle, La, Lessard Micheline

Moulins à eau de la vallée du Saint-Laurent, Adam
Villeneuve
Objets familiers de nos ancêtres, Genet Nicole
* Sculpture ancienne au Québec, La, Porter John R. et Bélisle
Jean
Vive la compagnie, Daigneault Pierre

ROMANS/ESSAIS

Adieu Québec, Bruneau André
Baie d'Hudson, La, Newman Peter C.
Bien-pensants, Les, Berton Pierre
Bousille et les justes, Gélinas Gratien
Coffret Joey
C.P., Susan Goldenberg
Commettants de Caridad, Les, Thériault Yves
Deux Innocents en Chine Rouge, Hébert Jacques
Dome, Jim Lyon
* **Frères divorcés, Les,** Godin Pierre
IBM, Sobel Robert
Insolences du Frère Untel, Les, Untel Frère
ITT, Sobel Robert
J'parle tout seul, Coderre Emile

Lamia, Thyraud de Vosjoli P.L.
Mensonge amoureux, Le, Blondin Robert
Nadia, Aubin Benoît
Oui, Lévesque René
Premiers sur la lune, Armstrong Neil
* **Sur les ailes du temps (Air**
Canada), Smith Philip
Telle est ma position, Mulroney Brian
Terrosisme québécois, Le, Morf Gustave
* **Trois semaines dans le hall du Sénat,** Hébert Jacques
Un doux équilibre, King Annabelle
* **Un second souffle,** Hébert Diane
Vrai visage de Duplessis, Le, Laporte Pierre

SANTÉ ET ESTHÉTIQUE

Allergies, Les, Delorme Dr Pierre
Art de se maquiller, L', Moizé Alain
* **Bien vivre sa ménopause,** Gendron Dr Lionel
Cellulite, La, Ostiguy Dr Jean-Paul
Cellulite, La, Léonard Dr Gérard J.
Être belle pour la vie, Meredith Bronwen
Exercices pour les aînés, Godfrey Dr Charles, Feldman Michael
Face lifting par l'exercice, Le, Runge Senta Maria
Grandir en 100 exercises, Berthelet Pierre
Hystérectomie, L', Alix Suzanne
Médecine esthétique, La, Lanctot Guylaine
Obésité et cellulite, enfin la solution, Léonard Dr Gérard J.
Perdre son ventre en 30 jours H-F, Burstein Nancy et Matthews Roy
Santé, un capital à préserver, Peeters E.G.

Travailler devant un écran, Feeley Dr Helen
Coffret 30 jours
30 jours pour avoir de beaux
cheveux, Davis Julie
30 jours pour avoir de beaux
ongles, Bozic Patricia
30 jours pour avoir de beaux seins, Larkin Régina
30 jours pour avoir un beau teint, Zizmor Dr Jonathan
30 jours pour cesser de fumer, Holland Gary et Weiss Herman
30 jours pour mieux organiser, Holland Gary
30 jours pour perdre son ventre (homme), Matthews Roy, Burnstein Nancy
30 jours pour redevenir un
couple amoureux, Nida Patricia K. et Cooney Kevin
30 jours pour un plus grand épanouissement sexuel, Schneider Alan et Laiken Deidre
* **Vos yeux,** Chartrand Marie et Lepage-Durand Micheline

SEXOLOGIE

Adolescente veut savoir, L', Gendron Lionel
Fais voir, Fleischhaner H.
Guide illustré du plaisir sexuel, Corey Dr Robert E.
Helg, Bender Erich F.
* **Ma sexualité de 0 à 6 ans,** Robert Jocelyne
* **Ma sexualité de 6 à 9 ans,** Robert Jocelyne
* **Ma sexualité de 9 à 12 ans,** Robert Jocelyne

Plaisir partagé, Le, Gary-Bishop Hélène
* **Première expérience sexuelle, La,** Gendron Lionel
* **Sexe au féminin, Le,** Kerr Carmen
* **Sexualité du jeune adolescent,** Gendron Lionel
* **Sexualité dynamique, La,** Lefort Dr Paul
* **Shiatsu et sensualité,** Rioux Yuki

SPORTS

100 trucs de billard, Morin Pierre
Le programme pour être en forme
Apprenez à patiner, Marcotte Gaston
Arc et la chasse, L', Guardon Greg
* **Armes de chasse, Les,** Petit Martinon Charles
* **Badminton, Le,** Corbeil Jean
* **Canadiens de 1910 à nos jours, Les,** Turowetz Allan et Goyens Chrystian
* **Carte et boussole,** Kjellstrom Bjorn
* **Chasse au petit gibier, La,** Paquet Yvon-Louis
Chasse et gibier du Québec, Bergeron Raymond
Chasseurs sachez chasser, Lapierre Lucie
* **Comment se sortir du trou au golf,** Brien Luc
* **Comment vivre dans la nature,** Rivière Bill
* **Corrigez vos défauts au golf,** Bergeron Yves
Curling, Le, Lukowich E.
Devenir gardien de but au hockey, Allair François
Encyclopédie de la chasse au Québec, Leiffet Bernard
Entraînement, poids-haltères, L', Ryan Frank
Exercices à deux, Gregor Carol
Golf au féminin, Le, Bergeron Yves
Grand livre des sports, Le, Le groupe Diagram
Guide complet du judo, Arpin Louis
* **Guide complet du self-defense,** Arpin Louis
Guide d'achat de l'équipement de tennis, Chevalier Richard et Gilbert Yvon
Guide de l'alpinisme, Le, Cappon Massimo
Guide de survie de l'armée américaine
Guide des jeux scouts, Association des scouts
Guide du judo au sol, Arpin Louis
Guide du self-defense, Arpin Louis
Guide du trappeur, Le, Provencher Paul
Hatha yoga, Piuze Suzanne
* **J'apprends à nager,** Lacoursière Réjean
* **Jogging, Le,** Chevalier Richard
Jouez gagnant au golf, Brien Luc
Larry Robinson, le jeu défensif, Robinson Larry
Lutte olympique, La, Sauvé Marcel
* **Manuel de pilotage,** Transport Canada

* **Marathon pour tous,** Anctil Pierre
* **Maxi-performance,** Garfield Charles A. et Bennett Hal Zina
* **Médecine sportive,** Mirkin Dr Gabe
Mon coup de patin, Wild John
Musculation pour tous, Laferrière Serge
Natation de compétition, La, Lacoursière Réjean
Partons en camping, Satterfield Archie et Bauer Eddie
Partons sac au dos, Satterfield Archie et Bauer Eddie
Passes au hockey, Champleau Claude
Pêche à la mouche, La, Marleau Serge
Pêche à la mouche, Vincent Serge-J.
Pêche au Québec, La, Chamberland Michel
* **Planche à voile, La,** Maillefer Gérald
* **Programme XBX,** Aviation Royale du Canada
Provencher, le dernier coureur des bois, Provencher Paul
Racquetball, Corbeil Jean
Racquetball plus, Corbeil Jean
Raquette, La, Osgoode William
* **Rivières et lacs canotables,** Fédération québécoise du canot-camping
* **S'améliorer au tennis,** Chevalier Richard
Secrets du baseball, Les, Raymond Claude
Ski de fond, Le, Roy Benoît
* **Ski de randonnée, Le,** Corbeil Jean
Soccer, Le, Schwartz Georges
Stratégie au hockey, Meagher John W.
Surhommes du sport, Les, Desjardins Maurice
* **Taxidermie, La,** Labrie Jean
Techniques du billard, Morin Pierre
* **Technique du golf,** Brien Luc
* **Techniques du hockey en URSS,** Dyotte Guy
* **Techniques du tennis,** Ellwanger
* **Tennis, Le,** Roch Denis
Tous les secrets de la chasse, Chamberland Michel
Vivre en forêt, Provencher Paul
Voie du guerrier, La, Di Villadorata
Volley-ball, Le, Fédération de volley-ball
Yoga des sphères, Le, Leclerq Bruno

le jour,
éditeur

ANIMAUX

Guide du chat et de son maître, Laliberté Robert
Guide du chien et de son maître, Laliberté Robert

Poissons de nos eaux, Melançon Claude

ART CULINAIRE ET DIÉTÉTIQUE

Armoire aux herbes, L', Mary Jean
Breuvages pour diabétiques, Binet Suzanne
Cuisine du jour, La, Pauly Robert
Cuisine sans cholestérol, Boudreau-Pagé
Desserts pour diabétiques, Binet Suzanne
Jus de santé, Les, Brunet Jean-Marc

Mangez ce qui vous chante, Pearson Dr Leo
Mangez, réfléchissez et devenez svelte, Kothkin Leonid
Nutrition de l'athlète, Brunet Jean-Marc
Recettes Soeur Berthe - été, Sansregret soeur Berthe
Recettes Soeur Berthe - printemps, Sansregret soeur Berthe

ARTISANAT/ARTS MÉNAGERS

Diagrammes de courtepointes, Faucher Lucille
Douze cents nouveaux trucs, Grisé-Allard Jeanne
Encore des trucs, Grisé-Allard Jeanne

Mille trucs madame, Grisé-Allard Jeanne
Toujours des trucs, Grisé-Allard Jeanne

DIVERS

Administrateur de la prise de décision, Filiatreault P. et
    Perreault Y.G.
Administration, développement, Laflamme Marcel
Assemblées délibérantes, Béland Claude
Assoiffés du crédit, Les, Féd. des A.C.E.F.
Baie James, La, Bourassa Robert
Bien s'assurer, Boudreault Carole
Cent ans d'injustice, Hertel François
Ces mains qui vous racontent, Boucher André-Pierre
550 métiers et professions, Charneux Helmy
Coopératives d'habitation, Les, Leduc Murielle
Dangers de l'énergie nucléaire, Les, Brunet Jean-Marc

Dis papa c'est encore loin, Corpatnauy Francis
Dossier pollution, Chaput Marcel
Énergie aujourd'hui et demain, De Martigny François
Entreprise et le marketing, L', Brousseau
Forts de l'Outaouais, Les, Dunn Guillaume
Grève de l'amiante, La, Trudeau Pierre
Hiérarchie ethnique dans la grande entreprise, Rainville
    Jean
Impossible Québec, Brillant Jacques
Initiation au coopératisme, Béland Claude
Julius Caesar, Roux Jean-Louis
Lapokalipso, Duguay Raoul

Lune de trop, Une, Gagnon Alphonse
Manifeste de l'Infonie, Duguay Raoul
Mouvement coopératif québécois, Deschêne Gaston
Obscénité et liberté, Hébert Jacques
Philosophie du pouvoir, Blais Martin
Pourquoi le bill 60, Gérin-Lajoie P.

Stratégie et organisation, Desforges Jean et Vianney C.
Trois jours en prison, Hébert Jacques
Vers un monde coopératif, Davidovic Georges
Vivre sur la terre, St-Pierre Hélène
Voyage à Terre-Neuve, De Gébineau comte

ENFANCE

Aidez votre enfant à choisir, Simon Dr Sydney B.
Deux caresses par jour, Minden Harold
Être mère, Bombeck Erma
Parents efficaces, Gordon Thomas

Parents gagnants, Nicholson Luree
Psychologie de l'adolescent, Pérusse-Cholette Françoise
1500 prénoms et significations, Grisé Allard J.

ÉSOTÉRISME

* Astrologie et la sexualité, L', Justason Barbara
Astrologie et vous, L', Boucher André-Pierre
* Astrologie pratique, L', Reinicke Wolfgang
Faire se carte du ciel, Filbey John
Grand livre de la cartomancie, Le, Von Lentner G.
* Grand livre des horoscopes chinois, Le, Lau Theodora
Graphologie, La, Cobbert Anne
* Horoscope et énergie psychique, Hamaker-Zondag
Horoscope chinois, Del Sol Paula

Lu dans les cartes, Jones Marthy
* Pendule et baguette, Kirchner Georg
* Pratique du tarot, La, Thierens E.
Preuves de l'astrologie, Comiré André
Qui êtes-vous? L'astrologie répond, Tiphaine
Synastrie, La, Thornton Penny Traité d'astrologie, Hirsig Huguette
Votre destin par les cartes, Dee Nerys

HISTOIRE

Administration en Nouvelle-France, L', Lanctot Gustave
Histoire de Rougemont, Bédard Suzanne
Lutte pour l'information, La, Godin Pierre
Mémoires politiques, Chaloult René
Rébellion de 1837, Saint-Eustache, Globensky Maximillien

Relations des Jésuites T.2
Relations des Jésuites T.3
Relations des Jésuites T.4
Relations des Jésuites T.5

JEUX/DIVERTISSEMENTS

Backgammon, Lesage Denis

LINGUISTIQUE

Des mots et des phrases, T. 1,, Dagenais Gérard
Des mots et des phrases, T. 2, Dagenais Gérard

Joual de Troie, Marcel Jean

NOTE TRADITION

Ah mes aïeux, Hébert Jacques

Lettre à un Français qui veut émigrer au Québec, Dubuc Carl

OUVRAGES DE RÉFÉRENCE

Petit répertoire des excuses, Le, Charbonneau Christine et Caron Nelson

Règles d'or de la vente, Les, Kahn George N.

PSYCHOLOGIE

Adieu, Halpern Dr Howard
Adieu Tarzan, Frank Helen
Agressivité créatrice, Bach Dr George
Aimer, c'est choisir d'être heureux, Kaufman Barry Neil
Aimer son prochain comme soi-même, Murphy Joseph
Anti-stress, L', Eylat Odette
Arrête! tu m'exaspères, Bach Dr George
Art d'engager la conversation et de se faire des amis, L', Grabor Don
Art de convaincre, L', Ryborz Heinz
Art d'être égoïste, L', Kirschner Joseph
Au centre de soi, Gendlin Dr Eugène
Auto-hypnose, L', Le Cron M. Leslie
Autre femme, L', Sevigny Hélène
Bains Flottants, Les, Hutchison Michael
Bien dans sa peau grâce à la technique Alexander, Stransky Judith
Ces hommes qui ne communiquent pas, Naifeh S. et White S.G.
Ces vérités vont changer votre vie, Murphy Joseph
Chemin infaillible du succès, Le, Stone W. Clément
Clefs de la confiance, Les, Gibb Dr Jack
Comment aimer vivre seul, Shanon Lynn
Comment devenir des parents doués, Lewis David
Comment dominer et influencer les autres, Gabriel H.W.
Comment s'arrêter de fumer, McFarland J. Wayne
Comment vaincre la timidité en amour, Weber Éric
Contacts en or avec votre clientèle, Sapin Gold Carol
Contrôle de soi par la relaxation, Marcotte Claude
Couple homosexuel, Le, McWhirter David P. et Mattison Andres M.
Devenir autonome, St-Armand Yves
Dire oùi à l'amour, Buscaglia Léo
Ennemis intimes, Bach Dr George
États d'esprit, Glasser Dr William **Être efficace,** Hanot Marc
Être homme, Goldberg Dr Herb
Famille moderne et son avenir, La , Richar Lyn
Gagner le match, Gallwey Timothy
Gestalt, La, Polster Erving

Guide du succès, Le, Hopkins Tom
Harmonie, une poursuite du succès, L' Vincent Raymond
Homme au dessert, Un, Friedman Sonya
Homme en devenir, L', Houston Jean
Homme nouveau, L', Bodymind, Dychtwald Ken
Influence de la couleur, L', Wood Betty
Jouer le tout pour le tout, Frederick Carl
Maigrir sans obsession, Orback Suisie
Maîtriser la douleur, Bogin Meg
Maîtriser son destin, Kirschner Joseph
Manifester son affection, Bach Dr George
Mémoire, La, Loftus Elizabeth
Mémoire à tout âge, La, Dereskey Ladislaus
Mère et fille, Horwick Kathleen
Miracle de votre esprit, Murphy Joseph
Négocier entre vaincre et convaincre, Warschaw Dr Tessa
Nouvelles Relations entre hommes et femmes, Goldberg Herb
On n'a rien pour rien, Vincent Raymond
Oracle de votre subconscient, L, Murphy Joseph
Parapsychologie, La, Ryzl Milan
Parlez pour qu'on vous écoute, Brien Micheline
Partenaires, Bach Dr George
Pensée constructive et bon sens, Vincent Dr Raymond
Personnalité, La, Buscaglia Léo
Personne n'est parfait, Weisinger Dr H.
Pourquoi ne pleures-tu pas?, Yahraes Herbert, McKnew Donald H. Jr., Cytryn Leon
Pourquoi remettre à plus tard? Burka Jane B. et Yuen L. M.
Pouvoir de votre cerveau, Le, Brown Barbara
Prospérité, La, Roy Maurice
Psy-jeux, Masters Robert
Puissance de votre subconscient, La, Murphy Dr Joseph
Reconquête de soi, La, Paupst Dr James C.
Réfléchissez et devenez riche, Hill Napoléon
Réussir, Hanot Marc
Rythmes de votre corps, Les, Weston Lee

S'aimer ou le défi des relations humaines, Buscaglia Léo
Se vider dans la vie et au travail, Pines Ayala M.
* Secrets de la communication, Bandler Richard
Sous le masque du succès, Harvey Joan C. et Datz Cynthia *
* Succès par la pensée constructive, Le, Hill Napoléon
Technostress, Brod Craig
* Thérapies au féminin, Les, Brunel Dominique
Tout ce qu'il y a de mieux, Vincent Raymond
Triomphez de vous-même et des autres, Murphy Dr Joseph

Univers de mon subsconscient, L', Dr Ray Vincent
Vaincre la dépression par la volonté et l'action, Marcotte Claude
Vers le succès, Kassoria Dr Irène C.
Vieillir en beauté, Oberleder Muriel
Vivre avec les imperfections de l'autre, Janda Dr Louis H.
* Vivre c'est vendre, Chaput Jean-Marc
* Vivre heureux avec le strict nécessaire, Kirschner Josef
Votre perception extra sensorielle, Milan Dr Ryzl
Votre talon d'Achille, Bloomfield Dr. Harold

ROMANS/ESSAIS

À la mort de mes 20 ans, Gagnon P.O.
Affrontement, L', Lamoureux Henri
Bois brûlé, Roux Jean-Louis
100 000e exemplaire, Le, Dufresne Jacques
C't'a ton tour Laura Cadieux, Tremblay Michel
Cité dans l'oeuf, La, Tremblay Michel
Coeur de la baleine bleue, Le Poulin Jacques
Coffret petit jour, Martucci Abbé Jean
Colin-Maillard, Hémon Louis
Contes pour buveurs attardés, Tremblay Michel
Contes érotiques indiens, Schwart Herbert
Crise d'octobre, Pelletier Gérard
Cyrille Vaillancourt, Lamarche Jacques
Desjardins Al., Homme au service, Lamarche Jacques
De Z à A, Losique Serge
Deux Millième étage, Le, CarrierRoch
D'Iberville, Pellerin Jean
Dragon d'eau, Le, Holland R.F.
Équilibre instable, L', Deniset Louis
Éternellement vôtre, Péloquin Claude
Femme d'aujourd'hui, La, Landsberg Michele
Femme de demain, Keeton Kathy
Femmes et politique, Cohen Yolande
Filles de joie et filles du roi, Lanctot Gustave
Floralie où es-tu, Carrier Roch

Fou, Le, Châtillon Pierre
Français langue du Québec, Le, Laurin Camille
Hommes forts du Québec, Weider Ben
Il est par là le soleil, Carrier Roch
J'ai le goût de vivre, Delisle Isabelle
J'avais oublié que l'amour, Doré-Joyal Yves
Jean-Paul ou les hasards de la vie, Bellier Marcel
Johnny Bungalow, Villeneuve Paul
Jolis Deuils, Carrier Roch
Lettres d'amour, Champagne Maurice
Louis Riel patriote, Bowsfield Hartwell
Louis Riel un homme à pendre, Osier E.B.
Ma chienne de vie, Labrosse Jean-Guy
Marche du bonheur, La, Gilbert Normand
Mémoires d'un Esquimau, Metayer Maurice
Mon cheval pour un royaume, Poulin J.
Neige et le feu, La, Baillargeon Pierre
N'Tsuk, Thériault Yves
Opération Orchidée, Villon Christiane
Orphelin esclave de notre monde, Labrosse Jean
Oslovik fait la bombe, Oslovik
Parlez-moi d'humour, Hudon Normand
Scandale est nécessaire, Le, Baillargeon Pierre
Vivre en amour, Delisle Lapierre

SANTÉ

Alcool et la nutrition, L', Brunet Jean-Marc
Bruit et la santé, Le, Brunet Jean-Marc
Chaleur peut vous guérir, La, Brunet Jean-Marc
Échec au vieillissement prématuré, Blais J.
Greffe des cheveux vivants, Guy Dr
Guérir votre foie, Jean-Marc Brunet
Information santé, Brunet Jean-Marc
Magie en médecine, Sylva Raymond
Maigrir naturellement, Lauzon Jean-Luc

Mort lente par le sucre, Duruisseau Jean-Paul
40 ans, âge d'or, Taylor Eric
Recettes naturistes pour arthritiques et rhumatisants, Cuillerier Luc
Santé de l'arthritique et du rhumatisant, Labelle Yvan
* Tao de longue vie, Le, Soo Chee
Vaincre l'insomnie, Filion Michel,Boisvert Jean-Marie, Melanson Danielle
Vos aliments sont empoisonnés, Leduc Paul

Quinze

Marchessault Jovette,
    La mère des herbes
Marcotte Gilles,
    La littérature et le reste
Marteau Robert,
    Entre temps
Martel Émile,
    Les gants jetés
Martel Pierre,
    Y'a pas de métro à Gélude-
    La-Roche
Monette Madeleine,
    Le double suspect
    Petites violences
Monfils Nadine,
    Laura Colombe, contes
    La velue
Ouellette Fernand,
    La mort vive
    Tu regardais intensément Geneviève
Paquin Carole,
    Une esclave bien payée
Paré Paul,
    L'improbable autopsie
Pavel Thomas,
    Le miroir persan
Poupart Jean-Marie,
    Bourru mouillé
Robert Suzanne,
    Les trois soeurs de personneVulpera
Robertson Heat,
    Beauté tragique

Ross Rolande,
    Le long des paupières brunes
Roy Gabrielle,
    Fragiles lumières de la terre
Saint-Georges Gérard,
    1, place du Québec Paris VIe
Sansfaçon Jean-Robert,
    Loft Story
Saurel Pierre,
    IXE-13
Savoie Roger,
    Le philosophe chat
Svirsky Grigori,
    Tragédie polaire, nouvelles
Szucsany Désirée,
    La passe
Thériault Yves,
    Aaron
    Agaguk
    Le dompteur d'ours
    La fille laide
    Les vendeurs du temple
Turgeon Pierre,
    Faire sa mort comme faire l'amour
    La première personne
    Prochainement sur cet écran
    Un, deux, trois
Trudel Sylvain,
    Le souffle de l'Harmattan
Vigneault Réjean,
    Baby-boomers

COLLECTIFS DE NOUVELLES

Fuites et poursuites
Dix contes et nouvelles fantastiques
Dix nouvelles humoristiques

Dix nouvelles de science-fiction québécoise
Aimer
Crever l'écran

LIVRES DE POCHES 10/10

Aquin Hubert,
    Blocs erratiques
Brouillet Chrystine,
    Chère voisine
Dubé Marcel,
    Un simple soldat
Gélinas Gratien,
    Bousille et les justes
    Ti-Coq
Harvey Jean-Charles,
    Les demi-civilisés

Laberge Albert,
    La scouine
Thériault Yves,
    Aaron
    Agaguk
    Cul-de-sac
    La fille laide
    Le dernier havre
    Le temps du carcajou
    Tayaout

Achevé Imprimerie
d'imprimer Gagné Ltée
au Canada Louiseville